이것만 알면
당신도 디지털 미디어 리터러시 지도사
(개정증보판)

이것만 알면 당신도 디지털 미디어 리터러시 지도사(개정증보판)

발　행 | 2024년 02월 29일
저　자 | 정승훈, 지미영, 송은주
펴낸이 | 정승훈
펴낸곳 | 스마트에듀빌더
출판사등록 | 2023.10.12.(제2023-190호)
주　소 | 서울특별시 서초구 강남대로101안길 17 자은빌딩 304호
전　화 | 010-8937-0881
이메일 | educator50@naver.com

ISBN | 979-11-985320-3-9

https://blog.naver.com/educator50

이것만 알면
당신도
디지털미디어리터러시
지도사

정승훈, 지미영, 송은주 지음

목차

에필로그 : 나에게 디지털미디어리터러시란?

프롤로그

나는 왜 미디어 리터러시에 관심이 생겼을까?

 그 시작은 강의를 위해서였다. 2020년 10월부터 진행하는 초등 돌봄활동가 심화 프로그램 중 미디어 리터러시와 스마트폰 활용, 신문 활용 독서지도법, 교과서 연계 독서지도법 3개를 맡게 되었다. 내가 독서 강의하는 것을 아는 분이 주관한 기획이었다. 독서 지도법은 그동안도 해왔던 것이고 2019년에 배운 유튜브 크리에이터 과정 덕분에 스마트폰 활용도 문제없었다. 다행히 2020년 초에 사서 대상으로 한 미디어 교육 연수와 부모 대상으로 '온라인 개학 시대를 사는 내 아이의 미디어 생활' 강의를 했었다. 뉴미디어 시대의 이해, 저작권의 이해도 포함되어 있었고 독서 강의도 매체와 연결한 통합독서를 하고 있었다. 미디어 리터러시에 관해서도 어렴풋이 알고 있었다.

 강의를 위해선 정확한 개념부터 알아야 했다. 책과 영상, 언론 보도 등을 찾아보았다. 놀랍게도 2020년 8월 27일 방송통신위원회와 문화체육관광부는 '디지털 미디어 소통역량 강화 종합계획'을 발표했다. 교육부, 과학기술정보통신부, 행정안전부 등 정부의 5개 부처가 동시에 참여해서 세대 간뿐만 아니라 지역의 디지털 격차를 없애고, 가짜뉴스, 사이버 폭력 문제 해결을 위해 건강한 디지털 공동체를 만드는 것이 목표다.

기사 내용을 보며 '아~ 앞으로 더욱 발전할 분야구나'라는 생각을 하게 되었다. 예전엔 유해환경 차단이 대부분의 교육내용이었으나, 이젠 미디어의 활용까지 포함하고 있어 내가 배운 미디어 기능이 꼭 필요했다. 미디어, 유튜브 기능을 교육하는 것도 좋지만 매번 바뀌는 기능을 익히는 것이 내가 좋아하는 분야가 아니었기에 재미있지는 않았다. 교육시민단체에서 강의와 상담을 해서인지 시민의식과 참여해서 함께하는 것에 의미를 전달할 때 보람을 느낀다.

'그럼 누구에게 미디어 리터러시 교육을 할 것인가?'
정부 종합계획에는 분명 생애주기별로 접근한 전세대를 대상으로 하고 있다. 그럼에도 난 급식체(급식먹는 10대들의 말)를 쓰는 학령기의 아이들과 디지털 문맹과 실질문해력이 떨어지는 시니어들을 대상으로 하는 것이라고 그 대상을 정해놓고 있었다. 『유튜브는 책을 집어삼킬것인가』 책 제목은 알고 있었고 북리뷰도 보았다. 내 관심이 아니었기에 그런가 보다 했다. 강의 준비를 위해 읽었다. 한 대 얻어맞은 기분이었다. 나는 교육의 대상이 아니라는, 나는 교육하는 사람이라고 생각하는 것이 얼마나 큰 오만인지 알게 되었다.

만약 내가 20년 먼저 태어났다면, 40년 뒤에 태어났다면 그들과 달랐을까? 나 역시 별로 차이 나지 않았을 것이다. 그들은 그 세대에 태어났을 뿐이다. 한글 교육을 제대로 받을 수 없는 시절이었고 미디어는 낯설 수밖에 없다. 10대들의 말줄임 언어는 그들의 언어문화다. 지금처럼 말줄임이 심하진 않았지만 우리 세대에도 어느 정도는 있었다. 우리 세대는 고등학교까진 한자교육을 받았고 덕분에 한글에 있는 많은 한자어를 알고 있다. 사회생활을 하며 PC나 인터넷 사용도 해본 세대다. 감사하게도 그냥 그 시절에 태어난 것뿐이다. 결국 미디어 리터러시는 모두에게 필요하고 어느 특정 사람이 교육해야 하는 것이 아니다. 나처럼 관심이 있고 배울 마음이 있다면 누구든 배워서 나눌 수 있다.

2021년 '디지털미디어리터러시 지도사' 민간자격과정 등록을 하고 교재로 활용하려고 출판했던 책을 2024년 프로그램을 수정하며 개정판을 낸다. 2023년 스마트에듀빌더 출판 신고를 해서 출판사도 스마트에듀빌더로 바꿨다. 지면을 빌어 처음 커리큘럼을 만들 때부터 지금까지 애써주는 공저자 송은주, 지미영 강사에게 감사를 표한다.

그동안 청소년, 성인, 교사까지 다양한 대상에게 강의했던 실무경험까지 이제 내가 아는 것을 여러분에게 알려드리려 한다. 이것만 알면 당신도 디지털 미디어 리터러시 강사가 될 수 있다.

스마트에듀빌더 대표 정승훈

I. 미디어 리터러시의 이해

1. 디지털 시민과 디지털 미디어 리터러시

우리의 하루를 떠올려보면, 아침에 눈을 떠 핸드폰을 찾아 시간을 확인하면서 시작한다. 이후 수없이 많은 디지털과 미디어를 아날로그 삶에서 사용한다. 지하철과 버스 도착시간은 물론 어떻게 이동해야 하는지 확인하고 출발한다. 일상이 되어버린 것들이 그리 오래되지 않았다. 지금 디지털 네이티브 세대는 일반 전화로 약속을 잡고 오지 않는 사람을 무작정 기다리다 바람맞는 상황을 이해하지 못한다. 그만큼 우리 삶에서 디지털과 미디어를 때어놓고 살 수 없는 디지털 세상이 되었다.

디지털 세상은 개인의 삶뿐만 아니라 사회에도 해당되어 디지털 시민으로 살아가기 위한 역량을 갖추어야 한다. 여러분은 디지털 시민이라고 하면 가장 먼저 생각나는 것이 무엇인가? 디지털이니 아날로그도 생각나고 민주시민, 세계시민, 미디어, 인터넷, 온라인, SNS 등의 단어들이 생각난다.
디지털 시민을 알아보기 전에 디지털에 대해 알아보려고 한다. 디지털은 아날로그와 무엇이 다를까. 아날로그(Analog)는 연속적 신호로 다양한 값 표현, 잡음 영향이 크고 손상신호 회복이 어려운 특징이 있고 디지털(Digital)은 불연속적 신호, 잡음 영향이 적으며 저장·신호처리 편리하고 데이터 양 증가의 특징이 있다.[1] 아날로그는 파장처럼 흐름이고 디지털은 구간을 나누어 0과 1의 2진법으로 표현한 것이다. 우리가 보는 사진도

---

[1] 방송통신위원회 <아날로그와 디지털의 차이점 알아보기>

작은 픽셀로 나눌 수 있다. 그래서 아날로그보다 디지털이 화질이 좋고 음량이 좋다. 또한 실시간 쌍방향 소통이 가능해진다.

디지털 시민교육의 중요성과 목표와 목적

디지털 시민 교육이 중요한 이유는 디지털 전환 시대, 온라인과 오프라인의 구분 모호, 디지털과 아날로그 환경에서 균형있게 살아갈 디지털 시대의 시민 역량이 필요하기 때문이다. 디지털시민교육의 목표는 디지털 기술이 주도하는 사회적 변화 속에서 개인의 소통방식과 일, 관계, 삶의 전반 변화에 대처할 수 있는 총체적 역량을 기르는 것이며, 디지털 시민 교육의 목적은 오프라인과 온라인 즉, 현실 세계와 디지털 세계를 연결하는 균형감을 유지하고, 디지털 세계를 개인이 주도적으로 선택하고 활용할 수 있도록 하는 것이다.

목표와 목적을 구분하기가 명확하지 않게 여겨질 수 있는데 목표는 수치화해서 성취가능한 것이라면 목적은 그것을 통해 이루고자 하는 것이 무엇인지가 된다. 디지털미디어리터러시 지도사의 목표는 디지털미디어리터러시 교육을 위한 역량으로 이론과 실습을 겸비하는 것이 될 것이다. 이론을 얼마큼 이해하고 실습 역시 가르칠 수 있을 정도로 익히는 것이 가능해야 한다. 목적은 나는 어떤 지도사가 될길 원하는가, 왜 지도사가 되고자 하는가에 대한 답이 해당한다. 그래야 그에 부합하는 목적을 가질 수 있다.

디지털시민교육 내용은 디지털시민교육 활용 가이드북을 참고했다. 디지털 시민교육에서 6가지 교육 주제는 정체성, 웰빙, 권리와 책임, 소통과 관계, 정보리터러시, 사회참여인데 하위 세부내용으로 자존감부터 저작권, 디지털 참여까지 많은 내용을 다루고 있다. 이것을 다시 재구조화해서 나와 우리와 공동체의 범주로 요구역량과 교육영역으로 나누었고 핵심질문에 답을 찾는 형식이다.

범주	요구 역량	교육영역	핵심 질문	시민성 가치
나	자기 관리 역량	정체성, 웰빙, 권리와 책임	나는 누구인가? 나는 어떻게 살아가야 하나? 나는 무엇을 해야 하는가?	평화 인권 다양성 정의 민주주의 관용 배려
우리	비판적 판단 역량	소통과 관계, 정보리터러시	다른 개체와 어떻게 살아가야 하는가? 디지털 사회를 어떻게 읽을 것인가?	
공동체	사회 참여 역량	사회참여	우리는 사회를 어떻게 변화시킬 수 있을까?	

디지털 미디어에서 무엇보다 중요한 것이 비판적 사고인데 사고를 키우는 것은 주입식 교육보다 계속 생각할 수 있는 기회를 주는 것이 필요하다. 닫힌 질문이 아닌 생각을 할 수 있는 질문을 통해 비판적 사고를 키울 수 있다.

디지털 시민으로 나의 정체성부터 시작해서 우리와 공동체로 확장하고 디지털 시민이 필요한 역량을 키우기 위한 도구가 디지털과 미디어가 될 수 있으며 이를 읽고 이해하고 사용하는 능력이 디지털 미디어 리터러시다.

2. 디지털 미디어 리터러시가 뭔데?

최근 갑자기 많이 회자되고 있는 미디어 리터러시, 과연 무엇일까? 미디어 리터러시를 알려면 미디어가 무엇인지부터 알아야 한다. 우리는 무엇을 미디어라고 하는가. 미디어의 종류가 많아져 예전의 신문, TV, 라디오와 같은 생산자와 소비자가 나뉘어있어 단방향 소통인 미디어의 레거시(legacy, '유산'이라는 뜻으로 새로운 것과 대비되는 '이전'이라는 의미에서 사용) 미디어라고 하고, 페이스북, 인스타그램, 유튜브와 같이 쌍방향 소통이 가능하고 누구나 콘텐츠를 생산할 수 있는 미디어를 뉴미디어라고 한다.

1950년대 TV의 등장으로 더 이상 영화관에 가지 않을 것이다라는 예측과 함께 미국에서는 미디어 연구가 활발했었다. 『미디어의 이해(1964)』의 저자 마셜 맥루한은 "미디어는 메시지다"라고 했다. 그는 의사소통을 위한 모든 것을 미디어라고 말했다. 그렇게 따지면 뉴미디어시대는 미디어의 범위는 너무 넓다. 아마 미디어의 종류만 이야기해도 끝이 없을 것이다.

이제 리터러시(literacy)에 대해 알아보자. 외국은 리터러시 교육을 오래전부터 해오고 있어 익숙한 단어지만 한국은 아직도 생소한 용어다. 외래어 자체를 차용해서 사용하기에 더욱 그렇다. 리터러시의 사전적 뜻은 '글을 읽고 쓸 줄 아는 능력'이다. liter는 문자(letter)라는 라틴어 어원이다. liter+ate(형용사형 어미)의 글자를 아는, 박식한의 형용사를 acy라는 명사형 접미사를 붙여 만들어졌다. 한국말로 바꾸면 문해력이다. 단순히 글자를 읽고 쓰는 능력이 아닌 글의 의미 파악하는 것을 포함한다.

 문자의 의미를 파악하고 읽고 쓸 줄 아는 능력인 리터러시에 미디어를 더한 것이 미디어리터러시이다. 언론, 유튜브, 소셜네트워크 등의 미디어를 활용하여 사용할 수 있는 능력이 미디어리터러시일텐데 뉴스리터러시, 소셜미디어리터러시처럼 유형으로 나눌 수 있을 것이고 디지털리터러시, 디지털미디어리터러시, 멀티리터러시처럼 모두를 포함한 리터러시도 있다.

 많은 미디어리터러시 연구의 개념은 크게 미디어 언어, 미디어 재현, 미디어 수용자, 미디어 생산자 네 가지의 핵심개념을 가지고 접근한다. 우리는 교과서와 연결하여 구분을 하고자 한다. 예전의 미디어리터러시가 수용자측면에서의 폭력적, 선정적인 내용의 저작물을 가려서 보여주는 것에 초점을 맞췄다면 이제는 생산자로서 영상이나 뉴스를 만드는 것까지 확대되었다.

 첫째, 미디어 리터러시의 이해다. 미디어 리터러시의 개념과 범주부터 문해력과 디지털 문맹은 무엇인지 알아본다. 미디어 사용법과 유튜브 저널리즘에 관해 알아보고 이를 영상으로 제작한다.
 둘째, 미디어의 감상과 비평이다. 미디어 비평을 위해서 비판적 사고와 가짜뉴스의 팩트체크를 해보고 뉴스 리터러시를 통해 뉴스일기와 서평글, 북리뷰 작성도 해본다.
 셋째, 미디어 콘텐츠 생산이다. 낚시성 뉴스 제목과 광고리터러시를 알아본다. 더불어 vrew 프로그램 인공지능 기능을 활용해 공익광고 영상제작과 QR코드도 제작해본다.
 넷째, 책임있는 미디어 사용이다. 미디어를 통해 자기탐색을 해보며 퍼스널컬러테스트와 MBTI를 연결하여 진로탐색의 시간을 갖는다. 실제 미디어리터러시 강사가 필요한 커리큘럼과 강의안 작성 실습도 포함된다.

 미디어와 종류, 역사, 철학만을 이야기해도 많은 내용인데 거기에 리터러시가 더해지니 더욱 방대해졌다. 뉴스리터러시, 광고리터러시처럼 한 분야의 리터러시에 국한시키는 것이 필요할 수도 있겠으나 디지털미디어리터러시 강사라면 전반적인 내용은 파악하고 있어야 한다고 생각되어 많은 것을 담게 되었다. 특히 마지막 네 번째 퍼스널칼러테스트로 진로탐색을 연결한 부분은 새로운 시도로 강사 자신부터 해보면 좋을 것이다. 앞으로 하나씩 살펴보기로 한다.

3. 읽다란? 문맹과 문해력, 당신의 문해력은?

'읽다'는 동사다. 그럼 우리는 무엇을 읽는가? 대부분 글이나 책을 읽는다고 대답할 것이다. 좀 더 생각해보라고 하면 의미를 읽다. 마음을 읽다. 와 같은 보이지 않는 것까지 확대해서 대답한다. 사전의 첫 번째 뜻은 "글이나 글자를 보고 그 음대로 소리 내어 말로써 나타내다."로 나온다. 이것이 문맹인지 아닌지를 나누는 기준이 된다. 그럼 두 번째 뜻은 "글을 보고 거기에 담긴 뜻을 헤아려 알다 ."이다. 단순히 글자를 읽는 것에서 나아가 뜻을 헤아린다는 것을 포함한다. 두 번째 뜻이 문해력에 해당한다.

□ 문해능력 수준별

구분	수준 정의	비율(%)	추정인구(명)
수준 1	일상생활에 필요한 기본적인 읽기, 쓰기, 셈하기가 불가능한 수준 (초등 1~2학년 학습 필요 수준)	4.5	2,001,428
수준 2	기본적인 읽기, 쓰기, 셈하기는 가능하지만, 일상생활에 활용은 미흡한 수준 (초등 3~6학년 학습 필요 수준)	4.2	1,855,661
수준 3	가정 및 여가생활 등 단순한 일상생활에 활용은 가능하지만, 공공 및 경제생활 등 복잡한 일상생활에 활용은 미흡한 수준 (중학 1~3학년 학습 필요 수준)	11.4	5,039,367
수준 4 이상	일상생활에 필요한 충분한 문해력을 갖춘 수준 (중학 학력 이상 수준)	79.8	35,184,815
전체		100	44,081,271

[출처 : 대학저널 2021. 교육부 제공자료]

2017년 성인문해력 조사 결과, 위 표에서 보듯이 수준1이 일상생활에 필요한 기본적인 읽기 쓰기 셈하기가 불가능한 수준으로 초등 1학년 정도다. 한국 성인 문맹률은 7.7%이지만 실질문해력은

22.4%로 떨어진다.

드라마 <날아라 개천용>에서 살인누명을 쓴 아들을 위해 닭백숙을 해서 경찰서로 찾아간 어머니가 아들에게도 좀 나눠서 먹여달라고 한다. 경찰이 "벌써 검찰로 이송됐어요."라고 하자 어머니가 묻는다. "이송이 뭐예요?" 그 장면을 보며 한글만 읽을 수 있는 문맹에서 벗어난 것과 실질 문맹률은 다르다는 것을 알게 되었다.

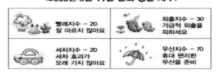

문 5) 다음의 날씨 생활지수를 참고하면 오늘 어떤 일을 하는 것이 가장 좋겠습니까? <2008년 6월 11일 날씨 생활 지수>

빨래지수 - 20 잘 마르지 않아요	외출지수 - 30 가급적 외출을 피하세요
세차지수 - 20 세차 효과가 오래 가지 않아요	우산지수 - 70 휴대 편리한 우산을 준비

① 이불 빨래를 한다.
② 친구를 만나서 가까운 산에 오른다.
③ 먼지가 쌓인 차를 구석구석 닦는다.
④ 학교 가는 아이에게 우산을 챙겨 준다.

[출처 : 한국교육개발원]

성인문해력 조사 문항에 빨래지수를 보여주며 어떤 일을 해야 하는지 묻는 것이 있다. 지수라는 걸 아는 성인은 그 문항에 대한 답을 바로 찾지만, 지수라는 것, 지수가 높고 낮음이 무엇을 의미하는지 모른다면 답을 찾기 힘들 수 있다. 중학교까지의 의무교육을 받지 못한 노년층 세대들에겐 미디어 리터러시에 앞서 리터러시 교육부터 해야 하는 이유다.

그럼 당신의 문해력은 어떤가? EBS 다큐 <당신의 문해력>이란 6부 프로그램이 방송되었다. 성인의 문해력뿐 아니라 학령기의 아이들도 심각한 수준이다. 스피드 퀴즈에서 '존귀'란 단어를 설명하는

데 "귀여운데…. 엄청 귀여운 거야. 줄임말이야."라고 했다. 웃고 넘길 일이 아니다. 한자 교육을 해야 한다고 주장하는 부류는 그래서 한자를 알아야 한다고 한다. 물론 한자를 알면 도움이 되는 건 맞다. 한자 교육에 관한 이야기는 이번엔 다루지 않는다.

문해력이 떨어진 것은 한국만이 아니다. 전세계적인 현상이라고 한다. 스크롤 압박이라는 말이 있다. 글이 길어지면 읽기 힘들어하는 것을 말한다. 글로 쓰인 책도 한 꼭지글이 길어지면 읽기 힘들어하고 여백도 많아야 사람들이 덜 부담스러워한다고 출판사에서 이야기한다. 학생들은 급식체(급식먹는 중고등학생들이 사용하는 신조어)니 학식체(학식을 먹는 대학생이 사용하는 신조어)니 하며 말을 줄여 사용한다. 초성으로만 메시지를 전달하기도 한다. 문화 연구자인 나는 이 또한 그들의 언어문화라고 생각한다. 문화는 그냥 생겨나는 것이다. 좋은 문화 나쁜 문화가 있을 수 있으나 누군가 일방적으로 나쁜 문화니 없애야 한다고 없어지는 것이 아니다. 그 문화를 만들고 사용하는 주체의 자각이 생겨 스스로 그 문화를 바꾸려고 할 때 가능하다.

성인이 미성년자들을 가르쳐야 할 대상으로 여기니 그들의 나쁜 문화 역시 가르쳐서 없애려고 한다. 대부분 그 시기가 지나면 하라고 해도 하지 않는 것들이니 인정하는 것도 필요하다. 문해력 역시 문해력이 떨어진다고 지적하는 것에서 멈추지 말고 문해력을 키울 수 있는 방법을 찾아야 한다. 다큐에서는 서양의 프로그램을 시범적으로 하는 것으로 효과를 보였다. 시범교육으로 그치는 한계를 언제까지 반복해야 하는지 답답하다. 결국 개인의 몫으로 끝을 냈다.

하지만 문해력은 미성년자, 시니어만 해당하지 않는다. 누구나 자

신이 모르는 분야에 대해서는 혹은 관심이 없는 분야에 대해서는
문해력이 떨어질 수밖에 없다. 계속 배워야 하는 이유다. 나만의
방법은 어원 찾기다. 어원을 찾아보면 연관된 많은 것을 알 수 있
다. 모든 것을 배울 수는 없으니 관심이 있는 것부터 시작해서 찾
아보고 읽고 보면서 익히면 된다.

4. 디지털 세상을 살아가는 나는 누구인가?

  강사 역량강화로 퍼실리테이션 기법을 활용하는 방법을 배울 때 '나는 누구인가'에 대한 답을 포스트잇에 써서 붙이고 서로 소개하는 시간을 가졌는데 전제조건이 부모, 강사와 같은 역할은 빼라고 했다. 그땐 교육받을 때이니 따라서 할 수밖에 없었고 저뿐만 아니라 참여한 강사들이 공통적으로 '꽃을 좋아하는 00' 등으로 자신의 이름 앞에 수식하는 문구를 넣었다. 이후에도 나는 누구인가 주제로 강의하며 역할을 배제한 것만이 나의 정체성일까 하는 의문이 들었다. 결혼하고 자녀를 낳은 사람이라면 여성과 딸과 아내와 며느리와 엄마라는 공통적인 정체성을 가지게 된다. 더불어 사회에서 주어진 역할도 나의 정체성 중에 하나다. 그러니 하나로 명명하기란 어렵다.

  그럼 현재의 아날로그 삶 속 디지털 세상을 살아가는 나는 누구일까. 우리는 수시로 디지털, 사이버 세상을 접한다. 가상현실과 증상현실 두 가지를 통해 디지털 세상을 생각하려고 한다.

  우리는 대부분은 태어나기도 전에 여성과 남성이 정해진다. 그리곤 정해진 성으로 살아간다. 영국 드라마 블랙미러 시즌 5의 <스트라이킹 바이퍼스>에서 가상현실(VR)이 성 정체성에 어떻게 영향을 미치는지 보여준다. 게임기로 게임을 즐기던 남성 동성친구가 결혼 후 가상세계에서 게임을 하며 서로 다른 성의 캐릭터를 고르고 대결을 벌이고 사랑도 나눈다. 분명 현실에선 전혀 느껴보지 못했던 감정이었는데 가상세계에서 그런 감정이 든 이후엔 현실에서도 혼란스러워한다. 드라마를 보며 성 정체성도 장담할 수 없겠다는 생각이 들며 충격적으로 느껴졌다.

다음으로 증강현실(AR)로 대표적인 것이 포켓몬고를 들 수 있다. 다른 사람의 눈에는 보이지 않는 것이 나한테만 보인다면 어떨까. 이를 잘 보여주는 드라마가 <알함브라 궁전의 추억>이다. 실제가 아닌데도 죽을 수도 있다는 설정이 가상현실보다 더 심각한 정신적 문제를 가져올 수 있겠다 싶었다.

이처럼 디지털 세상은 현실의 실제 세상과는 또 다른 세상이다. 우리는 누구나 페르소나(가면)을 쓰고 생활한다. 페르소나는 그리스시대 연극에서 역할을 달리하기 위해 썼던 가면으로 칼 융은 정신분석학에서 사회에서 요구하는 도덕과 질서, 의무 등을 따르는 것, 자신의 본성을 감추거나 다스리기 위한 것이라고 했다. 우린 사이버 공간에 어떤 모습으로 드러나길 원할까. 주체로 보는 나와 대상으로 보이는 나로 나눌 수 있는데 나를 대상화하는 대표적인 것이 셀카 사진이다. 내가 보여주고 싶은 모습만을 공유한다. 우린 남의 모습을 몰래 들여다본다. 관음, 관종이 두드러진 현상이 디지털세상에서의 일상이다. 남과 끊임없이 비교하며 스스로를 비하하기도 한다.

그래서 내가 괜찮은 사람이란 자존감이 필요하다. 그러려면 긍정적인 사고를 가지는 것이 중요한데 문제가 발생했을 때 어떻게 대처하는지를 통해 알아볼 수 있다. 문제를 어떻게 해결하지는 똑같다. 다음부터 달라지는데 자기탄식을 하는 사람은 '해결해본 적이 없는데 어떻게 하지? 해결 못하면 혼날텐데 어떻게 하지?' 결국 '나는 할 줄 아는 게 없나봐.'가 된다.

반대로 자기긍정을 하는 사람은 '문제 해결할 방법이 있을 거야.

혼날지도 모르지만 도움을 청해볼까?'하고 도움을 청해 해결하고는 '다음에는 혼자 할 수 있겠네.'라며 자기긍정을 한다.

그럼 자존감을 키울 수 있는 구체적인 방법은 없을까. 『자존감의 여섯기둥』을 쓴 너새니얼 브랜든은 문장 완성 연습을 제시한다. 방법은 아침 일과 전 자리에 앉아 문장 줄기 써보는데 가능한 빨리, 생각하지 말고 2~3 분 동안 최대한 많은 문장을 완성한다. 반드시 여섯 개는 되어야 하고, 열 개 정도면 충분하다. 완성한 문장이 문자 그대로 진실인지, 합리적인지 등 걱정하지 말고 아무것이나 써도 되고 뭐라도 쓰면 된다. 시간은 평균 10분 이하가 좋다. 무언가 습관이 되려면 21일 이상이 필요하다. 매일매일 4주간 실천해 보면 달라진 나를 발견하게 될 것이다.

평소 자신에게 긍정정서를 주기 위한 전략을 세우는 것도 좋은데 스스로를 칭찬하거나 부정적인 사고를 피하는 방법을 찾거나 행동으로 표현하는 것들이 있다.

5. 디지털 웰빙과 디지털 디톡스

디지털 시대 나는 어떻게 살아가야 하나? 그럼 여러분은 평소 지치거나 힘들 때 어떤 방법으로 휴식을 취하나?

<가장 많이 참여한 세부 여가활동(1~5순위 복수응답)>

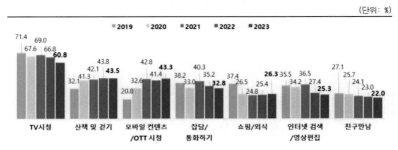

위의 자료는 문화체육관광부가 조사한 결과로 여가활동으로 가장 많이 하는 활동이다. 1위가 TV 시청이고 산책 및 걷기가 2위, 모바일 컨텐츠/OTT 시청이 3위다. 1위와 3위 모두 시청이니 둘을 합친다면 훨씬 높은 수치를 기록할 것이다. 몸을 움직이지 않고 무언가를 계속 본다는 건 현대사회인의 부족한 운동과 재미를 추구하는 모습을 엿볼 수 있다.

웰빙과 웰니스

웰빙(Well-being)의 사전적 의미는 '건강한(well, 안락한·만족한) 삶·인생 being을 살자'다. 자동으로 건강과 운동, 잘 먹고 잘

자는 것이 중요하다고 여겨진다. 인생은 한 번뿐이니 즐기자는 욜로(You Only Live Once)와는 대비되는 계획적으로 열심히 살고 있다는 갓생(God+인생)이 공존하고 있다.

웰니스는 웰빙(well-being)과 행복(happiness), 건강(fitness)의 합성어로 신체적·정신적·사회적 건강이 조화를 이루는 이상적인 상태를 말한다.

세계 웰니스 산업 규모

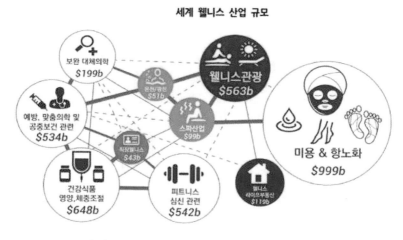

세계 웰니스연구소(Global Wellness Institute)

디지털 치매와 디지털 웰빙

친한 사람의 핸드폰 번호를 외우고 있나? 우리는 언젠가부터 기억할 필요가 없어져 버린 것들이 많아졌다.

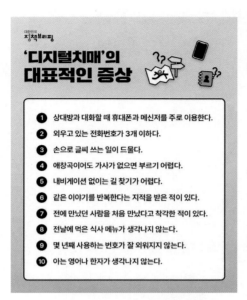

위의 열 가지 항목에서 3~4개가 해당된다면 디지털 치매가 의심된다. 노인성 질병으로 알려진 치매와는 달리 디지털 치매는 노인보다 디지털 네이티브인 2~30대가 훨씬 많이 나타난다. 그만큼 우린 스마트폰, 디지털의 의존도가 높다는 것이다.

다음의 스마트폰 과의존 척도를 체크해보면 자신이 어디에 해당하는지 알 수 있다. 스마트폰으로 많은 것을 하는 디지털 시민은 여러 항목에 해당될 것이다. 현재의 나의 상태를 알아야 어느 부분을 보완하거나 어떻게 해야할지를 고민하게 된다. 메모나 필사 등 손으로 글씨를 쓰는 것도 한 방법이 될 수 있다.

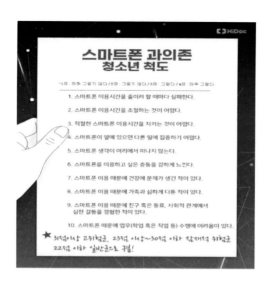

  90% 이상이 경험한 유령진동증후군은 현대인들의 휴대전화 중독과 의존도가 심해지면서, 실제로는 전화나 문자가 오지 않았는데 휴대전화 벨 소리가 들리거나 진동을 느낀 것 같이 착각하는 현상을 말한다. 1900년대 채석장과 건설현장 노동자가 전기톱, 드릴과 같은 전동기구를 사용하지 않을 때도 느낀다는 진동증후군에서 2002년대 영국에서 진동장치가 달린 게임기구에 빠진 아이에게도 나타났다고 한다.

  유령진동증후군에 걸린 이유는 여러 가지가 있겠지만 퇴근 후 직장, 일과 관련한 연락을 받는 경험이 80%가 된다는 것도 포함된다. 국회엔 일명 퇴근후 카톡 금지법인 연결되지 않을 권리법이 발의되어 있다.

  디지털 웰빙을 위한 뇌에게 주는 휴식인 디톡스로 유령진동증후군을 예방하는 방법으로 대한민국방송통신위원회는 두 가지를 제안한다.

이것만 알면 당신도 디지털 미디어리터러시 지도사

첫째, 휴대전화를 의도적으로 멀리하기 위해 하루에 몇 번씩은 휴대전화를 포함한 모든 전자기기를 몸에서 떼어놓고 잠깐 휴식을 취한다.

둘째, 휴대전화에 대한 관심을 산책, 사진 촬영, 그림그리기, 운동, 악기 연주 등 다른 분야로 돌린다.

『로그아웃에 도전한 우리의 겨울』의 저자 수 잔 모샤트는 세 자녀와 함께 6개월간 가전제품부터 스마트폰, 인터넷 등 모든 전자기기를 사용하지 않았다. 처음엔 금단현상이 오고 친구관계도 끊어졌다. 하지만 6개월이 지난 후 잠을 충분히 잔 아이들은 규칙적인 생활이 가능했고 가족 간에 대화가 생겨났고 무엇보다 각자의 관심사와 취미가 생겼다고 한다.

저자는 디지털 웰빙을 위한 10계명을 다음과 같이 이야기한다.
❶ 따분함을 두려워하지 말지어다.
❷ 멀티태스킹을하지 말지어다.
❸ '월핑'(검색 목적을 잊고 인터넷을 헤매는 것)을 하지 말지어다.
❹ 운전 중에는 문자를 하지 말지어다.
❺ 안식일에는 스크린 사용을 금할지어다.
❻ 침실은 미디어 금지 구역으로 유지할지어다.
❼ 이웃의 업그레이드를 탐하지 말지어다.
❽ 계정은 '비공개'로설정할지어다.
❾ 저녁 식사 자리에 미디어를 가져오지 말지어다.
❿ 미디어에 저녁 식사를 가져오지 말지어다. 그리고 온 마음을 다해 진짜 삶을 사랑할지어다.

10계명 중 처음부터 모든 것을 실천할 필요는 없다. 가장 필요하다고 느끼는 것부터 시작하고 하나씩 늘려가면 된다. 습관이 되려면 21일이 필요하다고 하니 꾸준히 실천해보길 바란다.

처음 가장 많이 하는 여가 순서와는 달리 가장 만족스러운 여가 활동에선 산책과 걷기가 1위를 차지했다. 누구와 함께 여가활동을 하는지에 대해선 오롯이 '혼자서' 했을 때가 1위였다. "인생은 모니터 속에 이뤄질 수 없으니 하루 한 시간만이라도 휴대폰을 끄고 사랑하는 사람의 눈을 보며 대화하라"고 한 구글의 에릭 슈미트의 말처럼 아무리 디지털 세상을 살아간다고 해도 많은 시간 시청하는 데 여가를 보낸다 해도 우리는 디지털이 아닌 아날로그의 삶을 즐길 줄 알아야 한다.

6. 사이버 윤리와 사이버 폭력, 잊혀질 권리 디지털 장의사

소셜미디어를 통해 개인정보의 공개는 어디까지 허용해도 된다고 생각하나? 혹시 여러분이 원치 않는데 얼굴이나 개인정보다 노출되어 삭제하고 싶은 경험은 없나?

개인정보보호위원회에서는 2023년 시범사업을 거쳐 2024년 지우개 서비스를 확대 시행한다. "지우개서비스"는 어릴 적 무심코 올린 개인정보가 포함된 온라인 게시물에 대하여 개인정보위가 삭제, 블라인드 처리 등을 도와주는 서비스다. [2)]

```
──────── < "지우개서비스" 어떻게 확대되나? > ────────
· 신청연령 : 24세 이하 → 30세 미만 국민 누구나 (확대)
· 지원대상 : 18세 미만 → 19세 미만 시기에 본인이 온라인에 게시한 글·사진·영상 등
            개인정보를 포함하고 있는 게시물 (확대)
· 지원내용 : 해당 게시물의 접근배제(삭제, 블라인드 등) 신청·상담
· 신청방법 : 개인정보 포털 > 개인서비스 > 지우개(잊힐권리) 서비스 게시판
            (privacy.go.kr/delete.do)에서 자기게시물 입증자료 등을 첨부하여 신청
· 이용절차 : 총 4개 단계로 나누어 제공
```

신청·접수		상담 및 지원방법 결정		접근배제 등 요청		모니터링 및 통지
(국민→개인정보위)	⇒	(개인정보위)	⇒	(개인정보위→사업자)	⇒	(개인정보위→국민)
· 개인정보포털 (privacy.go.kr) 접수		· 담당자 1:1 매칭 · 지원 대상, 방법 판단		· 게시판 운영 사업자에게 접근배제 요청		· 결과 확인 및 모니터링

8개월간 접수된 약 1만여 건의 신청했으며 주로 중고등학생이 69% 이용했다. 다음의 신청사례를 보면 구체적인 내용을 확인할 수 있다.

---

2) 2024년 개인정보보호위원회 민생정책 100% 활용하기 2024.01.10. 보도자료

※ 참고 : 주요 신청사례

#1. (계정 분실) 어릴 적 유행하던 춤을 추는 동영상을 찍어서 올렸는데 비밀번호를 분실해서 지울 수 없었어요. 계정을 만들 때 쓰던 핸드폰번호가 바뀌어서 비밀번호를 찾을 수도 없어요.

#2. (이용 정책상 삭제 불가) 제 이름과 생년월일에 대해 사주풀이를 요청하는 글을 썼는데, 댓글로 답변이 달려서 삭제할 수 없게 되었어요. 댓글이 달리면 삭제할 수 없다는 걸 몰랐어요.

#3. (사이트 탈퇴) 예전에 이용하던 사이트 게시판에 이메일 주소를 댓글로 남겼었는데, 그걸 지우지 못한 채 사이트를 탈퇴했어요. 지금도 제 이메일 주소를 검색하면 그 댓글과 게시물이 검색되는데, 지우고 싶어도 지울 수가 없어요.

정부가 아닌 개인이 하는 경우가 있는데 이를 디지털 장의사라 부른다. 한국 1호 디지털 장의사인 김호진은 2008년 CF 모델인 초등학생의 안티 카페에 달린 수위 높은 인신공격과 가족 신상정보 노출로 괴로워하는 가족을 위해 댓글을 일일이 찾아서 삭제 요청했다고 한다. 디지털 장의사란 개념조차 없던 때였다. 가족에게 "새로운 인생을 선물 받았다."는 인사는 김호진 씨가 디지털 장의사를 하게 된 계기였다.[3]

사이버 폭력

여러분은 무엇이 사이버 폭력이라고 생각하는가. 소셜미디어에서 비방글이나 저격글을 쓰는 것, 합성사진을 만들어 유포하는 것, 단톡방에서 욕을 하거나 모욕적인 말로 협담하는 것 등 모두가 사이버 폭력이다. 디지털 장의사들이 하는 일 중에는 사이버 폭력의 피해자들의 정보를 삭제하는 것도 포함된다. 사이버 폭력은 언어폭력과 성폭력이 함께 발생하는 경우가 많다. 단톡방에서 누군지 알만한 내용으로 '걸레'나 '00년'과 같은 표현을 한다면 말이다.

---

3) 『디지털 장의사, 잊(히)고 싶은 기억을 지웁니다』 김호진

물리적인 폭력은 신체에 상처를 남긴다면 사이버 폭력은 정신에 상처를 남긴다. 겉으론 보이지 않지만 상처가 깊고 치유하기도 어렵다. 사이버 폭력 피해자의 상담했을 때 대인기피증과 외출기피현상을 보였다. 사이버의 퍼날르기 한 글이나 공개글은 불특정다수가 볼 수 있기에 밖에 나가서 사람들이 웃는 모습이나 서로 이야기하는 모습을 보면 자신의 이야기를 알고 있어서 비웃고 이야기하는 것처럼 느껴진다는 것이었다.

도덕과 윤리

도덕(道德, Morality)은 인간이 지켜야 할 도리 또는 바람직한 행동 기준이며 윤리(倫理, ethics)는 인간이 사회를 구성하고 살아가는 데 있어 지켜야 할 이치 또는 도리다. 둘 다 비슷해 보인다. 사람이 지켜야할 것으로는 법도 있다. 법은 도덕과 윤리와 달리 지키지 않으면 범죄자가 되고 처벌도 받는다. 도덕은 동기에 초점을 둔 내면성을, 법률은 행위의 결과에 초점을 둔 외면성을, 윤리는 도덕과 법률의 두 가지를 모두 가지고 있다.

윤리가 중요한 이유는 지키지 않으면 혼란이 올 수 있으며 삶을 살아가는 기준이 되며 그래서 윤리의식이 필요하다. 디지털 사회를 살아가는 디지털 시민에겐 사이버 윤리도 중요하다.
2000년 6월 15일 정보통신윤리위원회가 발표한 사이버 윤리강령에 따르면 기술의 급격한 발달은 시간과 공간의 장벽이 무너지고 세계가 하나가 되는 세상이 이루어져 가는 반면에 익명성을 통한 타인의 권리나 인권 침해가 빈번하게 이루어지고 있기 때문에 사이버 윤리가 필요하다고 했다. 다음은 기본정신과 행동강령이다.

기본 정신

- 사이버 공간의 주체는 인간이다.
- 사이버 공간은 공동체의 공간이다.
- 사이버 공간은 누구에게나 평등하며 열린 공간이다.
- 사이버 공간은 네티즌 스스로 건전하게 가꾸어 간다.

행동 강령

- 우리는 타인의 인권과 사생활을 존중하며 보호한다.
- 우리는 건전한 정보를 제공하고 올바르게 사용한다.
- 우리는 불건전한 정보를 배격하며 유포하지 않는다.
- 우리는 타인의 정보를 보호하며 자신의 정보도 철저히 관리한다.
- 우리는 비속어나 욕설 사용을 자제하고 바른 언어를 사용한다.
- 우리는 실명으로 활동하며 자신의 ID로 행한 행동에 책임을 진다.
- 우리는 바이러스 유포, 해킹 등 불법적인 행동을 하지 않는다.
- 우리는 타인의 지적 재산권을 보호하고 존중한다.
- 우리는 사이버 공간에 대한 자율적 감시와 비판 활동에 적극 참여한다.
- 우리는 네티즌 윤리 강령 실천을 통하여 건전한 네티즌 문화를 조성한다.

　무심결에 나도 모르게 사이버에 올린 글이나 사진이 타인에게 폭력이 될 수 있음을 인식하고 사이버 윤리를 가지도록 한다. 더불어 강의할 때에 모둠으로 브레인스토밍으로 토론을 하고 '사이버 윤리 서약서'를 작성하고 발표하는 것도 좋다.

7. (AI) 저작권과 표절

 이제 정보와 기술, 지식은 과거와 다르게 오픈되어 있다. 누구나 가져다 사용할 수 있는 시대다. 그 장소가 인터넷, 디지털 세상이다. 디자인 플랫폼, 동영상 제작 앱, 자막 생성프로그램 등 무료로 사용할 수 있는 것이 어디든 있다. 하지만 무조건 사용할 수 있는 것은 아니다. 사용에 대한 기준이 있다. 워터마크를 지우면 안 된다거나 판매하는 행위는 안 되는 저작권 정책이 정해져 있다. 디지털 시민으로 나는 무엇을 해야 하는가 생각해보고 영상이나 뉴스의 생산자라면 어떻게 사용해야 하는지 글과 사진, 영상의 저작권에 관해 알아야 한다. 타인의 사진, 영상을 허락 없이 사용하면 안된다. 개인적으로 sns에 올리는 것도 마찬가지다. 저작권과 초상권, 개인정보보호뿐만 아니라 AI 저작물에 대한 저작권과 표절까지 알아본다.

지적 재산권으로의 저작권

 1인미디어 시대가 되면서 누구나 창작물을 만들기 쉬워졌다. 인간의 창작물은 지적재산권 중에 저작권에 해당한다.
 지적재산권에는 저작권과 특허권으로 나뉜다. 저작권은 '무방식주의'라 별도의 등록이 필요 없어서 창작과 동시에 발생한다. 저작권은 문화계에서 이용되는 지식재산으로 표현이 중요하다. 특허권은 저작권과는 달리 산업계에서 이용되는 지식재산으로 특허청에 특허권을 등록해야 한다. 특허권은 아이디어가 중요하기 때문에 다른 사람의 아이디어를 차용하는 것이 허용되지 않는다.

저작권은 무방식주의라 등록하지 않아도 되나 한국저작권위원회에 저작권 등록제도가 있다. 등록하면 창작자와 창작연월일의 추정 가능하여 무단 이용자의 과실과 손해배상액을 인정하는 데 도움이 된다. 저작권은 저작자 사후 70년간 보호되는 권리이다. 저작권은 베른협약, 세계무역기구(WTO) 무역관련 지적재산권에 관한 협정 등 국제조약에 따라 보호되는 권리로 국내뿐만 아니라 국외에도 해당되는 권리이다.

저작권의 궁극적인 목적은 문화발전이고 문화발전을 위해 저작권 보호와 공정이용이라는 두 가지 수단을 이용한다. 공정이용은 학교 교육목적의 이용, 교육이나 학문 또는 비평의 목적에 따른 인용, 사적복제 등의 경우이다. 공정이용에 해당되는지 여부를 결정하는 것은 법원인데 한국저작권위원회 상담센터(1800-5455)에 문의하면 도움을 받을 수 있다.

일반인의 초상권과 연예인의 초상권 중 누구의 초상권이 더 보호 받아야 할까? 정답은 일반인이다. 연예인은 알려진 초상이기에 영리 목적과 명예훼손에 해당하지 않는다면 문제가 될 가능성은 적다. 오히려 일반인의 얼굴은 모자이크 처리해야 한다. 초상권과 더불어 개인정보보호도 중요해서 주차장에서 고양이 사진이나 영상을 찍어 sns올릴 때 자동차 번호판도 알아볼 수 없게 처리해야 한다.

AI 저작권과 표절

인공지능이 글도 쓰고 그림도 그릴뿐만 아니라 작곡도 한다. 각 분야별 인공지능 저작물 사례를 먼저 살펴본다.

어문저작물로는 논문을 작성하기도 하고 2017년 세계 최초 AI 샤오빙(小氷) 시집 '햇살은 유리창을 잃고(阳光失了玻璃窗)'이 있었고 국내에선 2021년 첫 AI 작가(바람풍) 장편소설 『지금부터의 세계』 와 2022년 카카오브레인 AI 시아의 시집 『시를 쓰는 이유』가 출판되어 시중에 판매되고 있다.

미술저작물은 2018년 10월 뉴욕 크리스티 경매에서 AI가 그린 초상화 <에드몽벨라미> 약 4억9천만 원에 낙찰되었고, 2021년 세계 최초 AI 예술가 아이다(Ai-Da) 자화상을 그렸다. 2022년 여름 미국 미술대회에서 Jason M. Allen이 인공지능 디지털 아트 <스페이스 오페라극장>으로 디지털 부문에서 우승을 차지했다. 2022년 9월 카쉬타노바와 AI가 만든 만화 <새벽의 자리야>는 미국에서 저작권이 인정된 사례였다가 2023년 2월 저작권 취소하며 작가의 글에 한해서만 신규 저작권을 인정했다.

음악저작물로는 2021년 베토벤 미완성 교향곡 제10번 교향곡을 럿거스대아메드 엘가말예술과인공지능연구소에서 인공지능을 이용해 완성했다. 2016년 한국의 AI 작곡가 이봄(EvoM)은 광주과학기술원(GISE) AI대학원 안창욱교수가 개발한 프로그램으로 많은 음원을 제작하고 음원 저작료를 받았다. 한국저작권위원회에서 이봄이 인공지능이란 것을 알고는 돌연 저작권료 지불을 금지했다.

그럼 인공지능이 창작한 저작물의 저작권은 누구에게 있을까. 왜 인공지능은 저작권자로 인정받지 못할까. 저작권은 인간의 사상 또는 감정을 표현한 창작물로 자연인과 법인, 즉 사람(人)으로 제한된다. 국회에 인공지능을 전자인으로 인정해야 한다는 법안이 발의되어 있다. 하지만 2023년 12월 문화부에선 여전히 인간 개입이 없는 AI 산출물 저작권 등록 불가의 방침을 발표했다.

인공지능의 저작물과 관련해서 정해야 할 부분이 많이 있다. 인공지능을 학습시키기 위해 사용된 것을 공정이용으로 인정해야 할 것인가, 저작권 침해가 아닌가, 인공지능 프로그램을 개발자와 학습시킨 사람과 프로그램을 이용해 저작물을 만든 사람 중 누가 주인인가, 인공지능이 만든 작품은 마음대로 사용해도 표절에 걸리지 않는가 등이다.

MIT 테크놀로지 리뷰에서는 챗봇용 워터마크로 AI 생성 텍스트를 구분하는 방법으로 보았다. "AI가 생성한 텍스트에 워터마크를 삽입하는 기술은 교사들이 학생이 쓴 에세이의 표절 여부를 판별하고, 소셜미디어 플랫폼이 허위 정보를 퍼뜨리는 봇(bot)에 대항할 수 있도록 도와줄 수 있을 것이다." 라고도 했다.

국내 대표적인 뇌과학자로 손꼽히는 김대식 카이스트 전기 및 전자공학부 교수도 "챗GPT 때문에 작가, 교수, 기자, 변호사가 없어질 것 같진 않아요. 다만 챗GPT를 잘 사용하는 작가, 교수 등 때문에 그렇지 않은 작가, 교수는 사라질 수 있을 것 같습니다." 라며 인공지능을 활용은 보편이 되는 세상을 이야기했으며 <쓰면 현실이 된다>의 임태훈 교수도 "유사 이래 생성형 AI모델들의 텍스트/이미지 생산속도보다 더 빠르고 광대한 창작 도구는 없었다. 가까스로 살아남기 위해 최첨단 기술에 과잉 적응하는 지혜가 아니라, 이 기술의 주도권을 움켜쥐고 세상을 변화시킬 지혜를 찾고 싶다. 지금은 도구함을 가능한 한 한가득 채워야 할 때다."라고 했다.

인공지능은 선택이 아닌 일반이 되는 세상이 멀지 않았다. 저작권과 표절에 대한 법안이 마련되어야 한다.

8. 나도 저작권자, CCL, GPL

 창작자가 모든 저작물을 사용하지 못하게 막는다면 발전이 될 수 없다. 그런 면에서 디지털 공유제로의 CCL, GPL도 알아본다.
 공유재는 사유재와 공공재와 함께 재화를 3가지로 나눈다. 이때 소유권을 근거로 다른 사람을 소비에서 배제할 수 있느냐에 따른 배제성과 여러 사람이 동일한 재화를 동시에 사용할 수 있는지 없는지에 따른 경합성이 어떻게 구분되느냐에 따라 달라진다. 사유재는 배제성도 경합성도 성립하는 반면 공공재는 배제성도 경합성도 성립하지 않는다. 모두가 누릴 수 있는 지식, 공식통계, 언어, 맑은 공기, 국방 등이 해당한다. 공유재는 배제성은 성립하지 않지만 경합성은 있는, 많은 사람이 공유하므로 바닥이 날 수 있는 재화로 천연자원이나 희귀 동식물, 녹지, 국립 공원, 하천, 기타 공공시설을 말한다.

디지털 공유(재)로서 CCL과 GPL

 디지털 자료는 복제하기 쉽다. 또한 재가공 역시 쉽다. 창작자가 직접 저작권의 허용범위를 나타내는 CCL과 저작권은 개발자에게 귀속되지만 소프트웨어의 복사, 수정, 변경, 배포의 자유를 제3자에게 허용하는 GPL이 있다.

 CCL(Creative Common License) 개념은 리처드 스톨먼(Richard Stallman, 1953~)이 제기한 '자유 소프트웨어 운동

(free software movement)'에서 비롯된 것으로, 스탠퍼드 대학 법대 교수인 로렌스 레식이 창안했다. CCL을 도입하면 저작권자의 의사를 일일이 묻지 않더라도 저작물에 대한 이용방법과 조건을 쉽게 알 수 있고, 이에 따라 저작권 침해 없이도 널리 유통시킬 수 있게 된다. 이에 현재 한국·일본·대만 등이 CCL 시스템을 개발해 도입 중이며, 독일·프랑스·이탈리아·미국·캐나다·브라질 등에서도 운영되고 있다. 한국정보법학회는 2005년 3월부터 CCL을 정식 보급하고 있다. 따라서 저작자들은 누구나 CCL 사이트(www.creativecommons.or.kr)에서 본인 저작물에 대한 권리를 무료로 설정할 수 있다.[4]

이용허락조건

Attribution (저작자 표시)
저작자의 이름, 출처 등 저작자를 반드시 표시 해야 한다는, 라이선스에 반드시 포함하는 필수조항입니다.

Noncommercial (비영리)
저작물을 영리 목적으로 이용할 수 없습니다. 영리목적의 이용을 위해서는, 별도의 계약이 필요하다는 의미입니다.

No Derivative Works (변경금지)
저작물을 변경하거나 저작물을 이용한 2차적 저작물 제작을 금지한다는 의미입니다.

Share Alike (동일조건변경허락)
2차적 저작물 제작을 허용하되, 2차적 저작물에 원 저작물과 동일한 라이선스를 적용해야 한다는 의미입니다.

GPL(General Public License)자유 소프트웨어 재단(Free Software Foundation, FSF)에서 만든 자유 소프트웨어 라이센스이다. 미국의 리처드 스톨만(Richard Stallman)이 GNU-프로젝트로 배포된 프로그램의 라이센스로 사용하기 위해 작성했다.[5] GPL의 특징은 GPL이 적용된 SW를 이용해 개량된 SW를 개발했을 경우, 개발한 SW의 소스코드 역시 공개해야 한다는 것이다. 오픈소스로 개발된 소프트웨어로 수익이 발생하여 이를 공개하지 않는

---

4) CCL [Creative Commons License] (선샤인 논술사전, 2007. 12. 17., 강준만)
5) GPL (매일경제, 매경닷컴)

경우 법적 분쟁도 발생한다.

　2011년 잭 안드라카라는 15살의 천재 소년이 디지털 공유재를
잘 활용한 경우다. 잭은 800달러(한화 약 95만 원)의 비용이 들고
60년이나 된 오래된 췌장암 진단법을 사용하는 것에 의문을 품고
위키피디아, 공개학술논문 등을 활용해 3개월동안 혈액에서 발견되
는 8,000개 이상의 단백질 종류를 알아내고 췌장암 발병과 관련된
단백질을 찾기 시작했다. 마침내 췌장암 조기 진단키드를 만들었는
데 5분 만(기존보다 168배 빠른)에 진단할 수 있는 것은 물론 비
용도 3센트(한화 약 36원)으로 기존보다 26,000배 저렴했다.6) 본
인의 노력과 실험실을 내어준 존스홉킨스대학 등 다른 여러 요인
이 작용했지만 그중 하나는 위키피디아 등 디지털 공유재가 있어
가능했다.

　디지털 미디어 시대에 창작자의 저작물 보호는 물론 타인의 지적
재산권인 저작물 보호도 중요하다. 타인의 저작권과 초상권에 위배
되지 않으면서 가장 안전하게 사용하는 방법은 첫째, 자신이 직접
만들어 사용하는 것이다. 하지만 모든 것을 만들어 사용할 수 없
다. 둘째, 저작권자에게 허락을 받는다. 셋째, 출처를 밝힌다. 넷
째, 초상권뿐만 아니라 개인정보에 해당하는 것은 모자이크 처리한
다. 다섯째, 디지털 공유재를 활용한다. 사진과 영상은 한국저작권
위원회 공유마당이나 픽사베이(pixabay), 픽사히어(pxhere)와 같
은 무료 이미지를 사용하거나 디자인 플랫폼과 앱 등을 사용한다.

---

6) 온라인 뉴스미디어 인사이트
　https://post.naver.com/viewer/postView.naver?volumeNo=328
　31526&memberNo=29949587&vType=VERTICAL

9. 나에게 맞는 미디어 사용법

미디어는 중간이라는 뜻의 med가 어원이다. 여기에 명사형인 매체, 형용사형인 중간정도의 라는 뜻의 medium이 되었고, 복수형인 media다. med라는 어원에서 알 수 있듯이 중간에서 매개하는 것들이 미디어다. 신기하게도 미디어의 역사를 살펴보면 종이가 발명되고 금속활자가 발명되면 인쇄미디어 시대가 발전했고 1844년 전신이 상용화되면서 텔레미디어 시대가 열렸다. 눈으로 보이지 않는 전신이 메시지가 되어 전달되던 그때 세계적인 강신술의 시초가 되었던 폭스자매 사건이 발생했다. 새로 이사온 집에 혼령이 있었고 이를 폭스자매가 영매자로 대화를 시도한 것이다. media에 영매라는 뜻도 포함되어 있다. 눈에 보이지 않는 것이 사람에게 전달되는 것을 경험했기에 가능한 것은 아닐까 싶다.

텔레미디어 시대는 전화, 영화, 라디오, TV의 시대다. 앞에 이야기한 레거시 미디어에 해당한다. pc와 스마트폰이 보급되며 뉴미디어 시대로 쌍방향 소통이 가능한 시대가 되었다.

그럼 나를 닮은 미디어는 무엇인지, 어떤 점이 나를 닮았는지, 장단점은 무엇인지 알아보는 시간을 가져보면 좋겠다. 트위터의 파란색과 새가 자신을 닮았다고 하기도 했다. 초등학생들은 카톡과 유튜브를 자기를 닮았다는 대답을 많이 했다. 장단점으로 카톡은 "사람들과 이야기를 많이 할 수 있어서", "사람들과 소통해서 즐거우니까" "친구들과 멀리 떨어져 있어도 연락할 수 있다."는 것으로 유튜브는 "재미를 느낄 수 있다.", "원하는 걸 듣거나 볼 수 있다." 라고 말했다. 반대로 유튜브의 단점은 "욕 같은 비속어 같은 말을 한다.", "이상한 썸네일이 보고 싶지 않아도 뜰 수도 있다."라고 했다.

 자신이 하루의 미디어 사용 시간이 어느 정도인지 알아야 미디어 사용에 대한 규칙을 정해볼 수 있다.

   한국언론진흥재단의 2019 현재, 우리 청소년들의 미디어 이용 행태 조사 결과에 따르면 '청소년들이 하루동안 이용하는 모든 미디어의 이용 시간을 더하면 평균 362.5분, **약 6시간 정도**'. 이 중 97%가 스마트폰을 통한 미디어를 접한다고 한다. 잠자는 시간과 공부하는 시간을 뺀 대부분의 시간을 스마트폰으로 미디어를 접하고 있는 것, 미디어 리터러시가 더욱 필요하겠다.[7]

청소년의 하루 사용시간이 평균 6시간이다. 수업을 해보니 30분에서 11시간까지 다양한 대답이 나왔다. 적당한 사용시간은 어느 정도인지 생각하는지 궁금했다. 1시간 30분에서 2시간 정도라는 대답이었다. 그럼 어떻게 그 시간을 지킬 수 있는지 자연스럽게 토론을 했다. "휴대폰에 시간을 정하는 앱을 깔기"라는 대답을 듣고 과연 가능할까 싶긴 했다. 깨미동(깨끗한 미디어를 위한 교사운동) 선생님이 미디어 강의에서 했던 이야기가 생각났다. 하지 않아야 할 때를 정하는 것이었다.

 미디어 소아과학회에서 Family Media Plan[8] 제시하고 있다. 사

---

7) 오마이뉴스 2021. 2.19 (막무가내 가짜뉴스와 광고에서 해방되고 싶다면 [서평] '미디어 리터러시 쫌 아는 10대')
8) https://healthychildren.org/English/Pages/default.aspx

이트에는 가족 미디어 계획만들기와 미디어 시간 계산하기를 직접 할 수 있다. 가족 미디어 계획을 세울 때 3가지를 기준으로 한다. 첫째, 스크린 프리 존이다. 모바일 장치 및 TV는 다음 화면 금지 구역에서는 허용되지 않는다. 예를 들면 침실로 아이의 침실 밖에서 핸드폰을 충전한다. 식탁으로 가족 식사하는 공간은 안된다. 둘째, 스크린 프리 타임이다. 모바일이나 기타 스크린을 사용하지 않는다. 예를 들면 길을 걸을 때, 잠자기 1시간 전 등이다. 셋째, 디지털 기기 커퓨 타임이다. 모든 기기를 끄는 시간이다. 이때 스마트폰 충전 장소도 정하면 좋다.

위의 기준을 바탕으로 자신만의 미디어 사용에 대한 규칙을 정해 본다. 실제로도 아이들은 이미 사용하지 않아야 할 때를 알고 있었다. 사용하지 않아야 할 때로는 밥 먹을 때, 잠자기 전에, 숙제할 때, 멀티태스킹(동시에 여러 일을 하는)도 하지 않는다고 했다. 깨미동 선생님은 화장실 갈 때도 하지 않아야 할 때라고 했다. 각 가정마다 기준이 있을 것이기에 유통성 있게 정해본다.

또한 미디어 사용규칙을 정하면 가족 모두 지켜야 한다. 교육하는 강사도 이를 잘 알려준다. 미디어 디바이스로 시대구분을 하지만 레거시 미디어가 사라지고 뉴미디어만 사용되는 것은 아니다. 새로운 미디어는 계속 생겨날 것이고 스마트폰도 레거시 미디어가 될 수 있다. 앞으론 더욱 강력한 미디어 디바이스가 나의 삶에 영향을 미칠 것이다. 미디어 소비만 하다가 나의 삶의 주인자리를 내어줄 수도 있다. 그렇기에 나에게 맞는 미디어 사용규칙을 정해야 한다.

10. 스크린 프리타임 정하고 캔바로 영상 제작

1) 캔바 계정 만들기

 먼저 캔바 웹사이트(https://www.canva.com/)에 접속하여 가입을 클릭한다. (가입되어 있다면 로그인한다.)

이용약관 동의 및 계속을 클릭합니다.

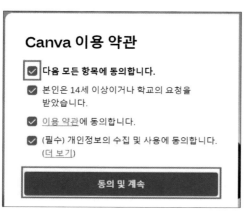

연동할 계정을 선택하고 로그인한다. (모바일에서도 동일한 아이디로 사용하기 때문에 Google로 계속하기를 추천한다.)

2) 동영상 프로젝트 시작하기

캔바 홈페이지에서 동영상을 선택한다. 원하는 동영상 형식(예: 인스타그램 스토리, YouTube동영상 등)을 선택하거나, 사용자 정의 크기를 입력하여 시작할 수 있다.

우리는 ①동영상을 선택하고 맨앞에 [동영상]에 커서를 갖다 대면 나오는 ②돋보기(템플릿 둘러보기)를 선택한다.

3) 디자인 템플릿 선택하기

캔바는 수많은 무료와 유료 템플릿을 제공한다. 원하는 템플릿을 선택하여 디자인을 시작할 수 있다.

여기서 우리는 아래와 같이 [교육적인]을 선택한다.

아래와 같이 교육 동영상 무료 템플릿이 검색되면 ①가격을 선택
한 뒤, ②[무료]를 선택한다.

아래와 같이 무료 템플릿이 검색되면, 그중 원하는 것으로 선택한
다.

이것만 알면 당신도 디지털 미디어리터러시 지도사

선택하면 미리보기 화면이 뜨는데, 영상을 확인 후 [이 템플릿 맞춤 편집하기]를 클릭한다.

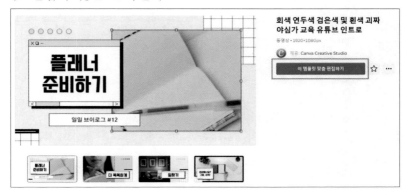

아래와 같이 편집할 수 있는 창이 새로 열리면 그 창에서 영상 편집을 시작할 수 있다.

4) 텍스트 추가/변경하기

왼쪽 메뉴의 ①[텍스트] 탭에서 ②[텍스트 상자 추가]를 선택하면 ③단락 텍스트 박스가 추가된다. 더블클릭하여 원하는 문구를 입력

할 수 있다. 또는 하단에서 원하는 스타일의 텍스트를 프로젝트에
드래그 앤 드롭하면 텍스트를 추가할 수 있다.

지금은 있는 텍스트를 그대로 수정해서 실습해 본다. 아래와 같이
기존 텍스트 박스를 클릭하여 문구를 수정한다.

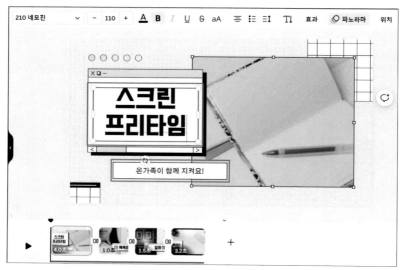

5) 동영상 추가하기

　왼쪽 메뉴의 ①[요소] 탭에서 동영상을 찾아 ②[모두 보기]를 선택한다. 그럼 캔바에서 제공하는 다양한 영상들을 확인할 수 있다.

맨위에 ①검색창을 활용해서 '스마트폰'을 검색하고, 아래쪽 결과물 중에 마음에 드는 영상을 고른다. (하단에 노란색 왕관 모양이 있는건 유료 요소이다.)

마음에 드는 영상을 선택 후 오른쪽 화면 ③내가 제작중인 동영상 프레임 내에 드래그 앤 드롭한다.

6) 음악 추가하기

앞의 동영상 추가와 같은 방법으로 ①[요소]의 ②[오디오 모두 보기]에서 다양한 배경 음악 중 원하는 음악을 선택하고 추가 할 수 있다.

현재 템플릿은 기존에 삽입되어 있는 음악이 있어서 그대로 사용키로 한다. 음악의 길이는 위의 화면에서 ③선택 후 마우스로 조절하고, 볼륨도 마우스 우클릭을 통해 조절할 수 있다.

7) 장면 추가 및 편집하기
아래 화면처럼 ①을 클릭하여 ②텍스트를 수정하고 ③영상을 수정하고, 동일한 방법으로 다음 장면 ④와 ⑤도 편집한다. 화면 하단의 ⑥+ 버튼을 클릭하여 새로운 장면을 추가 할 수 있다. 각 장면의 지속 시간은 ①,④,⑤ 각 클립을 선택 후 마우스로 양쪽 시간슬라이더를 조절하여 변경할 수 있다.

8) 동영상 미리보기 및 저장하기

상단 또는 하단 좌측의 [▶] 재생 버튼을 클릭하여 동영상을 미리
볼 수 있다. 만족스러운 결과물이 완성되었다면 상단의 ①[공유]
버튼을 클릭하여 ②[다운로드] 선택 후 ③[MP4 동영상]으로 ④다운
로드 하면 내 기기에 저장된다.

캔바에서 제작한 결과물은 내가 로그인한 계정에 자동으로 저장
되고 언제든지 다시 불러 편집할 수 있다.

이렇게 완성한 영상은 강사에게 보내 다 같이 보면서 피드백해주
면 된다. 수강생은 직접 정한 스크린 프리타임 가이드라인을 영상
으로 만들어보며 다시 한번 생각해보고 영상을 만드는 생산자로의
경험을 할 수 있다.

Ⅱ. 미디어의 감상과 비평

1. 다른 개체와 어떻게 살아가야 하는가?

'인간은 사회적 동물이다' 우리에게 너무나 익숙한 말이다. 이 말은 고대 그리스 철학자 아리스토텔레스의 말로, 인간의 특성에 대해서 표현한 말로 인간은 개인으로 존재하지만 개인 혼자서는 삶을 살아갈 수 없음을 직접적으로 표현한 말이다. 하지만 요즘 시대는 이 말에 온전히 공감하기는 힘들다. 눈을 맞추고 인사를 하는 오프라인의 관계만으로는 4차 산업혁명의 시대인 현재를 살아간다는 것은 내가 살아가는 세상의 한쪽 면만을 바라보는 것과 같기 때문이다. 그렇다면 우리는 사람 외에 어떤 개체와 살아가고 있는 것일까?

'미디어' 우리가 사람 외에 함께 살아가고 있는 다른 개체다. 미디어의 중요성을 따로 논할 필요가 없을 만큼 우리에게는 너무나 친숙하고 우리 생활의 많은 부분을 차지하고 있는 단어다. 하지만 미디어의 의미를 제대로 알고 있기는 어렵다. 우리는 소비자의 위치에서 새롭게 쏟아져 나오는 미디어를 이용하기에 바빴기 때문이다. 그래서 이 장에서는 미디어의 의미를 제대로 짚어 보려 한다.

앞에서도 살펴보았지만 미디어는 다양한 의미가 있는 단어다. 단어의 어원이나 활용도 무척 흥미롭다. media는 'medi-(middle)을 어근으로 사용하는 단어로 mean, medium, media 등으로 활용된다. 이 단어들의 공통점은 어근의 뜻으로 미루어 짐작 가능한 평균, 중간의, 중도의 뜻이 있다. 하지만 mean의 뜻 중에서 '흔한

　　　　이것만 알면 당신도 디지털 미디어리터러시 지도사

'이라는 뜻을 빌려와 미디어의 의미를 만들었다는 사실은 신기하고, 미디어의 성격을 잘 설명해주는 듯하다.

미디어의 종류

미디어의 종류는 뭐가 있을까? 미디어의 종류를 알아보기 전에 미디어의 기능을 먼저 알아보자. 미디어의 기능은 정보를 저장해서, 그 정보를 전달하고, 전달받은 정보를 재현하는 방식을 가지고 있는 것으로 설명된다면 미디어의 범위는 우리가 아는 것보다 더 넓을 수 있다. 위의 개념을 바탕으로 시대순으로 미디어의 종류를 알아보자.

우선 맨 처음 **문자**를 들 수 있다. 문자가 인간의 언어를 적는 데 사용하는 시각적인 기호 체계로 사용된 지는 무척 오래되었지만 1450년 구텐베르크의 인쇄술 발전으로 그 기능이 폭발적으로 커지게 되면서 인쇄술의 발전은 인터넷의 혁명만큼 세계사적으로 큰 의미가 있는 사건으로 기록되었다. 구텐베르크 이전에는 필사의 작업을 거쳐서 2개월에 책 1권이 나왔다면, 그 이후에는 일주일에 책이 약 500권이 인쇄되었기 때문이다. 인쇄술의 발달은 면죄부와 종교개혁을 가능하게 했으니 인쇄된 문자는 어마어마한 미디어의 역할을 한 셈이다.

문자 다음의 미디어는 1827년 세계 최초로 프랑스 도시에서 창밖 풍경을 찍은 **사진**이다. 사진의 등장으로 미술계에 어마어마한 영향을 끼친다. 이제까지의 미술은 실제에 존재하는 모든 것을 더 실제처럼 그리는 것이 실력 있는 미술품이라고 여겼던 시대이기 때문이다. 사진의 등장으로 미술 작품은 더 다양한 형태를 갖추게 되었다.

사진 등장 10년 후인 1837년에는 전기를 이용해 정보를 주고받을 수 있는 **전신기**와 모스부호의 발명으로 멀리 떨어진 장소에서도 정보를 주고받을 수 있었다. 모스부호를 이용한 정보를 주고받는 장면은 영화 <영웅>에서 김고은이 일본에서 러시아로 모스부호 전송하는 장면과 영화 <기생충>의 지하실에서 머리를 부딪치는 장면에서 볼 수 있다.

산업혁명을 거치며 산업이 발달하며 기술도 발달하여 1925년 영국에서 최초로 TV로 영상이 송출된다. 물론 지금처럼 화면이 깨끗하거나 영상에 등장하는 얼굴의 윤곽이 선명하지는 않았지만, TV의 등장은 사회적으로 많은 영향을 끼치며 우리가 미디어라고 생각하는 다른 개체의 첫 등장이라고 볼 수 있다.

1943년 최초의 **컴퓨터** <에니악>9)이 등장한다. 사진에 있는 기계가 컴퓨터의 모습인데 우리가 알고 있는 컴퓨터와는 많이 다른 신기한 모습이다. 커다란 건물의 벽을 꽉 채울 정도의 크기의 컴퓨터에서 지금의 컴퓨터 모습을 갖추는 데는 불과 몇십 년 걸리지 않았다는 사실 역시 신기하다.

---

9) [출처] 카페 (!information! 주고받기~)

최초의 컴퓨터가 등장한 지 꼭 40년 후인 1973년 4월 3일 뉴욕 맨해튼 힐튼호텔 근처의 6번가 거리에서는 최초의 **전화기**로 통화 실험하고 있다. 실험은 성공적이었고 그 이후 1983년 일반인들에게 상용화되었다.

컴퓨터, 모바일의 등장 이후 미디어가 우리 생활과 밀접한 관계를 맺게 되고 전 세계가 하나라는 개념을 갖게 된 계기는 'WWW(World Wide Web)'의 등장이다. 인터넷상에서 내가 원하는 정보를 검색만으로 쉽게 찾을 수 있고 공유할 수 있는 네트워크는 미디어의 기능을 완벽하게 구현시켜 줄 뿐 아니라 인류의 삶의 형태를 바꿔 놓기에 충분했다. 더구나 이런 서비스가 휴대전화기에서도 완벽하게 그 기능을 함으로써 우리는 개인끼리의 소통을 오프라인이 아닌 온라인에서 하면서 인간관계에 대한 의미를 다시 생각하면서 이 장의 제목인 '다른 개체와 어떻게 살아가야 할까?'를 고민하게 되었다.

이 물음의 답은 앞으로 진행되는 내용에서 찾을 수 있다. 그 첫걸음으로 다음 시간에는 각 미디어의 역사를 자세히 알아보고 미디어는 당시 시대에 어떤 영향을 미쳤고, 그 영향들이 축적되어 현재의 우리에게는 어떤 영향을 주고 있는지 자세히 안내할 예정이다.

2. 미디어의 역사와 철학

 미디어 하면 떠오르는 이미지는 무엇일까? 개인적으로 '♥' 모양이 떠오른다. 과거의 '♥' 모양은 사랑을 표현하는 대표적인 이미지였는데 미디어 사회에서의 '♥' 모양은 미디어의 발달과 함께 그 의미가 조금은 확장되었다는 생각이 든다. 누군가가 올린 게시물에서 '♥'의 의미는 '좋아요'와 '지지'와 '격려' 그리고 '품앗이' 등 다양하고 복잡하다는 사실을 SNS 사용자라면 다 수긍이 되지 않을까? 이렇게 미디어는 그 사회를 변화시킨다. 그래서 앞 장에서 배운 다른 매체들이 당시의 사회에 어떤 영향을 미쳤는지 알아보는 건 무척 중요한 의미가 있다. 다만 미디어 역사에서 구텐베르크의 인쇄술 발달은 중요한 부분이기는 하지만 미디어의 역사의 관점보다는 세계사의 관점에서 더 의미 있는 사건이기에 미디어의 역사는 그 이후의 시기부터 알아보기로 한다.

시대별 미디어의 영향 1 (18세기~19세기)

 문자는 매체일까? 18세기 유럽에서 시작된 산업혁명은 인류의 문명을 바꿔놓은 커다란 사건이다. 모든 것이 변하는 과정 안에서 가족의 형태가 바뀌는 건 너무나 당연하다. 산업혁명 이전에는 어머니가, 산업혁명 초기에는 아버지가, 그 이후에는 다시 어머니가 아이들의 정신적 교육을 책임지는 변화가 생기면서 부모의 역할이 정확히 나뉘게 되는 변화를 맞이하는데 엄마의 역할이 대단히 중요해진다.

이것만 알면 당신도 디지털 미디어리터러시 지도사

"소년들을 (국가의) 종복으로 키우고 소녀들을 어머니로 키우면, 다 잘 될 겁니다." 이 문장은 1809년 괴테가 쓴 소설 『친화력』에 등장하는 교수가 한 말이다. 당시 사회에서 남녀의 역할, 부모의 역할에 대해서 단적으로 표현한 문장으로 실제 고등학교에서 남학생, 여학생들의 교과수업 내용이 달랐는데 남학생에게는 국가 관념을 여학생에게는 교양 관념을 수업했다. 한 시대를 살아가지만 다른 세계에 속하게 하는 교육이었는데, 예를 들면 남학생은 책을 읽고 그 뒤의 내용을 채워야 하는 글쓰기 수업과 문해력 수업에 통과되지 못하면 졸업하지 못하지만, 여학생은 낭송 수업은 하지만 글쓰기는 배우지 않는다.

이 결과로 여성은 작가나 공무원이 될 수 없고, 진정한 독자가 아닌 '소비'로서의 독자의 역할만을 하게 된다, 단순 소비자는 책의 수준과 상관없이 새로운 책을 읽어내는 행위가 무척 중요했기 때문에, 소비자가 읽어 대는 책의 양에 맞추기 위해 작가는 기계적으로 출간한다. 하지만, 수요를 다 충족할 수 없어서, 수준이 낮은 작가가 책을 만들어내는 현상이 무분별하게 일어난다. 더군다나 낭만주의 시대 독일 문학에 어머니, 여성, 자연에 대한 찬미가 나타나는데 이는 남성 작가가 소비자인 여성 독자의 취향에 맞췄기 때문이다. 그러한 이유로 '책 읽기'에 집착한 여성들에게 내려진 사회적 정신병리 현상은 '읽기 중독'이었다. 그러자 국가에서는 이 문제를 '해석학'을 바탕으로 여성에게 독서의 방법을 제시하며 해결하기로 한다.

해석학적 독서란 집중해서 반복적인 독서를 해야 하고, 작품 속의 인물을 생생하게 느껴야 하며, 글뿐만 아니라 글을 쓴 작가도 사랑해야 한다는 내용이다. 독일은 여성에게 여러 번 읽힐만한 글들을 선별하기 위해 지금 우리가 알고 있는 '고전'의 작품과 작가를 선정한다. 이렇게 해서 위대한 독일의 시문학이 탄생했다는 사실은 무척 놀랍다. 이런 현상 때문에 키틀러는 미디어는 문자에서부터 시작한다고 설명한다.

19세기의 또 다른 미디어는 축음기, 영화, 타자기를 들 수 있는데 각각의 미디어가 사회에 미친 영향에 대해서 알아보려 한다.

첫 번째, **축음기**는 에디슨의 실험에서 시작되었다. 에디슨은 기관사 시절 당시 무모한 실험의 결과로 청력의 반이나 잃게 되었기 때문에 직접 소리가 아닌 기계의 소리에 관심을 두었다. 그래서 에디슨은 벨에 의해 먼저 발명된 전화와 자신이 발명한 전신기를 이용해 전화기의 수화기를 개량하는 과정에서 수화기의 진동판에서 영감을 얻어 축음기(phnograph)기를 발명하게 된다. 최초 축음기의 작동 원리는 전화 송화구에 대고 소리를 지르면 진동판이 떨리면서 그에 연결된 바늘이 움직였고, 그 바늘이 회전하는 파라핀 종이띠 위에 무엇인가를 쓰고 난 후, 종이띠를 재생시키면 진동판이 움직이면서 희미한 소리가 울려 나왔다. 인공 입인 전신기와 인공 귀인 전화기의 기능을 합친 축음기는 소리를 저장하고 재생하는 강력한 미디어가 탄생한 순간이다.

이렇게 강력한 미디어의 탄생으로 100여 년간 이어져 왔던 교육 시스템에 변화가 생긴다. 이유는 가정에서 '어머니의 입'을 통한 교육을 위한 교재에는 독일의 방언을 싣지 않았기 때문이다. 방언의 역할은 지역의 오래된 역사와 지역마다 특성을 담고 있으며 각 지역의 역사가 모여서 국가의 역사를 풍부하게 하는데 독일은 지난 100년간 이러한 역사의 흐름이 거의 보이지 않는 교육시스템이었다. 하지만 축음기의 등장으로 지역의 방언은 교육의 중심에 다시 등장하게 된다. 쓰기와 읽기, 저장과 스캔, 기록과 재생을 할 수 있는 방식은 발전을 거듭하며 교육뿐 아니라 예술과 문학, 범죄학, 정신분석의 분야를 넘어서 레코드 산업으로 막대한 이익을 만들어내는 경제의 분야와 문학의 영역에도 영향을 끼치는데 그 주인공은 시인 릴케다. 20세기 최고의 시인이라 불리는 릴케는 실존주의 바탕으로 고독과 생명의 소리를 이야기하는데 그 바탕을 축음기에서 찾아볼 수 있다. 학창 시절의 축음기 실험과 성인 시절 프랑스 국립미술학교인 에콜 데 보자르의 '해부학' 수업으로 소리 (기억)의 저장과 재생에 대한 두개골과 축음기의 연관성에 대한 깊은 고뇌가 그의 작품에 녹아든 셈이다. 릴케의 작품을 본 철학자 하이데거는 철학보다 더 깊이가 있는 작품이라는 후기를 남겼다고 하니 실존의 모든 소리를 저장하고 재생할 수 있는 축음기는 19세기를 대표하는 미디어 중 하나임이 틀림없다.

두 번째로 소개하는 미디어는 **'영화'**다. 19세기의 영화의 시작은 1878년 에드워드 머이브리지가 릴랜드 스탠퍼드의 청탁으로 12대의 특별한 카메라로 말의 움직임을 사진으로 찍어 유리판 위에 12장의 사진을 붙여 회전시킴으로써 말의 움직임을 자세히 볼 수 있는 최초의 영사기[10]가 탄생 되는 순간이라고 할 수 있다.

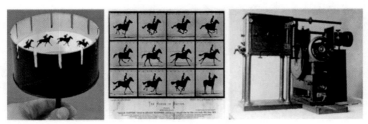

〈 조이트로프의 모습 〉 〈 머이브리지의 사진 〉 〈 머이브리지가 사용한 영사기 〉

그 이후 셀룰로이드 위에 복사되고 필름 릴로 감기게 되면서 머이브리지의 유리판은 에디슨의 키네토스코프로 이어지고, 상자 안을 들여다보는 이 선구적인 기계는 다시 뤼미에르의 영화관 영사

---

10) 출처 : 블로그 〈국립대구박물관〉

로 이어졌다. 이 기술은 정신분석학의 프로이트, 문학평론가·철학자인 벤야민, 독일의 철학자·미학자인 아도르노 등 다양한 분야에서 관심을 보이고 그 관심은 다양한 영역에서 실험되었다. 특히 정신병원과 정신분석에서 영화 기법을 활용한 다양한 실험이 이루어졌고 정신분석에서 가장 중요하게 다루는 '무의식'을 주제로 영화로 만들자는 할리우드의 제안을 프로이트는 단호히 거절했다. 프로이트는 영화적 기법보다는 영화의 특성 즉 렌즈에 비치는 자신의 모습을 도플갱어로 착각한 순간 '언캐니'[11]하게 반응하는 심리를 무의식의 영역과 연관 지었다. 1914년 정신분석학자 오토 랑크의 영화 <프라하의 학생>은 꿈의 기법을 연상시킨다고 평가했다. 영화의 발전은 에디슨이 축음기에 추가로 눈에 작용하는 기계를 만듦으로써 완성되었다. 에디슨은 상상적인 것과 상징적인 것을 분리하는 미디어를 발명한 셈이다.

세 번째 미디어는 '타자기'다.
타자기가 발명되었을 때 타자기를 사용해 글을 썼으니 타자기 사용자는 남성이다. 대표적인 인물이 니체인데, 니체의 시력은 -14D(디옵터)의 초고도 근시로 앞이 거의 보이지 않았기 때문에 자필로는 작품활동을 할 수 없는 상황이어서 타자기 발명에 쾌재를 불렀다고 한다. 하지만 타자기가 가지는 의미는 그 이후 나타난다. 타자기 등장의 가장 큰 의미는 글쓰기의 성별을 뒤집었다는 것이고, 이는 세계 역사를 바꾼 사건이기에 의미를 지닌다. 문자가 미디어의 역할을 하던 시대의 여성은 글쓰기 수업을 배우지 못하였기에 책을 소비하는 독자로서만 존재할 수 있었다. 19세기 초 작가가 사회에 미치는 영향은 우리의 짐작보다 훨씬 크고, 훨씬 깊다. 더구나 남자는 공무원으로서 여자는 어머니로서 해야 할 역할

---

11) 언캐니(uncanny) : 데자뷔·도플갱어와 같이 친밀한 대상에게서 느끼는 낯설고 두려운 감정

이 절대 바뀔 것 같지 않던 독일적인 사회의 구조는 '타이피스트'라는 일하는 여성을 위한 특별한 계약 공무원직을 마련하면서 '오래된 가정 형태'의 붕괴를 가져온다.

물론 타자기의 영향이 사회의 구조를 바꾸는 곳에만 미친 건 아니다. 타자기를 구텐베르크의 인쇄술 발달과 견주어서 평가한다. 타자기는 인쇄기의 속도와 비교할 수 없을 정도로 인쇄된 종이를 생산해 낸다. 이 현장에는 작가가 존재하지 않는다. 타이피스트들이 타자해야 하는 단어와 문장을 많은 의미를 내포하고 있는 언어라기보다 업무로서의 기호로 받아들인다. 이러한 현상에 대해서 독일의 실존주의 철학자 하이데거는 '타자기는 언어를 소통 수단으로 전락시킨다'라는 표현으로 이 시대의 문제점을 비판했다.
매체의 태동기인 19세기에는 엔지니어, 철학자 그리고 작가가 서로 연결된 상태에서 20세기로 진입했다.

시대별 미디어의 영향 2 (20세기~21세기)

20세기를 대표하는 미디어는 **텔레비전**이고, 이 시대를 대표하는 정신병리학은 **분열증**이다. 1925년 최초로 브라운관을 통해 영상이 송출된다. 물론 사람의 형성이 뚜렷하거나 화질이 좋은 건 아니라서 브라운관에 나오는 사물의 형체를 정확히 알아볼 수 없지만, 이 실험 영상의 의미는 크다. 이 미디어의 탄생 배경은 다른 미디어의 탄생 배경과 다르게 전쟁용 전자공학에서 파생된 민간용 부산물이다. 과학과 기술의 발전에는 전쟁이 빠질 수 없다. 그렇게 탄생한 텔레비전은 자본주의를 대표하는 20세기의 미디어가 된다.

혁신적인 미디어, 텔레비전은 사회에 어떤 영향을 미쳤을까? 미국의 미디어 스터디와 텔레비전 연구 분야의 학자인 린 스피겔은 "브라운관(TV 수상기)은 젠더화 된 가정 경제에 통합된다"라고 말했다. 19세기 미디어의 영향에서 살펴보았듯이 타자기의 등장으로 여성의 경제적 역할이 형성되기 시작했지만, 그 후로 꽤 오랫동안 전통적인 역할 분담의 형태가 유지되었다. 이렇게 남성과 여성 간의 경제적 역할이 분명하게 나뉜 형태를 젠더화된 가정이라고 한다. TV 프로그램에서의 광고는 성의 평등화를 원하지 않는다. 각각의 영역에서 각각의 소비를 부추긴다. 여성은 여자답게, 남성은 남자답게, 아이는 아이답게 말이다.

이 소비의 또 다른 근원은 고용자와 노동자가 같은 방송을 보며, 같은 옷을 입고, 같은 차를 타고자 하는 '욕망'이다. 이 욕망은 사회와 개인의 분열이 일어나게 한다. 또한 개인을 단일하고 가족 내에서도 고립된 주체로 만들어가는 경향이 있다고 1972년 들뢰즈는 당시의 현실을 이야기했다. 21세기 미디어인 스마트폰과 함께 생활하는 우리들의 모습을 보면 들뢰즈의 말은 지금의 우리를 이야기하고 있는 듯하다.

글을 시작하면서 미디어의 이미지를 떠올려보았다. 그럼 21세기 미디어를 떠올려보자. 어떤 이미지가 떠오를까? 이제 21세기의 미디어를 알아보자. 하지만 21세기의 대표적인 미디어를 꼽는다는 건 무척 어렵다. 다양한 형태와 플랫폼에서 미디어의 역할을 하기 때문이다. 이런 현상이 가능해진 이유는 '인터넷'과 '소셜미디어의 등장'이다.

인터넷은 1969년 아르파넷으로 등장했다. 물론 인터넷은 전신기와 케이블이 있어야 가능한 통신 시스템이다. 1991년 이후 월드와이드웹이 개발된다. 이러한 과정을 거쳐 나타난 소셜미디어의 등장은 '지구촌'이라는 새로운 단어가 생겨날 만큼 온라인에서의 관계성은 물리적 거리와는 전혀 상관이 없어진다. 그렇다 보니 전 세계 사람들이 온라인으로 소통한다. **소통의 과잉**이다.

보들리야르는 21세기를 과잉성의 시대라고 진단했다. 이를 가장

이것만 알면 당신도 디지털 미디어리터러시 지도사

잘 나타내는 단어가 '육각형 인간'이다. 육각형 인간은 2024 트랜드 코리아에 선정된 단어로 외모, 학력, 자산, 직업, 집안, 성격, 특기 등 모든 측면에서 완벽함을 갖춘 사람을 의미한다. 그렇다면 완벽함의 기준은 어디에 있을까? 바로 소셜미디어 안에서 내가 보는 사람들이다. 이런 이유로 상대적 박탈감이 그 어느 때보다 높은 시대이다. 반대로 게시물은 올리는 사람은 자신의 현실과 가상의 세계가 너무 달라 괴리감을 느낀다. 상대적 박탈감과 괴리감 모두 감정이다. **감정의 과잉**이다.

또 다른 과잉은 **짧은 영상(숏폼)**이다. 유튜브, 틱톡, 인스타그램 외에도 다양한 플랫폼에서 숏폼을 제작한다. 짧은 시간에 재미있는 영상을 볼 수 있으니 소비자로서는 손해 볼 일이 없을 것 같다. 하지만 우리는 손해가 아니라 피해를 보고 있다. 숏폼은 재미있다. 재미있음이 우리의 뇌에 도파민을 생성한다. 인체의 특성상 인체는 별일이 생기는 걸 싫어한다. 그래서 생성된 도파민의 수치를 내리기 위해 인체는 기분을 차분하게 만드는 일을 한다. 이런 일들이 반복되다 보면 자극의 수위가 점점 높아져야 하고, 짧은 영상(숏폼)을 보고 난 뒤의 나의 기분은 더 좋지 않게 된다. 그래서 가라앉은 기분을 해소하려 다시 숏폼을 본다. 무한반복의 굴레를 벗어나지 못해 나도 모르는 사이에 1분도 안 되는 짧은 영상을 몇 시간씩 아니면 그 이상을 보게 된다. 그래서 '숏폼 중독', '도파밍'이라는 신조어가 나올 지경이다.

과잉의 세 가지 예를 들었는데 세 가지만으로도 21세기 미디어의 공통적 정신병리학을 우리는 짐작할 수 있다. 바로 **우울증**이다.

다음 장에서는 '소셜미디어는 인간관계 형성에 어떤 역할을 했나?'에 대한 내용에 대해 알아보는데 이번 장의 내용과 연관 지어서 개인과 사회, 개인과 개인의 관계 형성에 대해서 알아보기로 한다.

3. 소셜미디어는 인간관계 형성에 어떤 역할을 했나?

소셜미디어와 인간관계 형성에 관해 이야기하기 전에 우선 용어에 대한 의미를 정확히 알아보기 위해 아래의 질문에 대한 대답을 생각해보자.

첫 번째 질문 : SNS와 카카오톡은 같은 걸까? 다른 걸까?
두 번째 질문 : SNS(소셜네크워크서비스)와 소셜미디어는 같은 걸까? 다른 걸까?

위의 질문에 대한 대답을 명쾌하게 하기는 쉽지 않다. 그렇기에 의미를 먼저 정확히 짚는 시간이 중요하다. 그래야 현재 우리 주위에서 벌어지는 미디어와 인간관계에 대한 현상을 쉽게 이해할 수 있다.

우선 소셜미디어의 의미를 정의해보면 정보를 창출하고, 배급하고, 소비하고, 전파하는 모든 과정이, 여러 사람이 참여해서 협업으로 이루어지는 모든 미디어를 말한다. SNS는 웹사이트라는 온라인 공간에서 공통의 관심이나 활동을 지양하는 일정한 수의 사람들이 일정한 시간 이상 공개적으로 또는 비공개적으로 자신의 신상 정보를 드러내고 정보 교환을 수행함으로써 대인 관계망을 형성하도록 해 주는 웹 기반의 온라인 서비스라고 정의한다.

소셜미디어를 쉽게 이해하기 위해 TV와 아프리카 TV를 비교해 보자. TV는 하나의 방송국이 다수에게 정보를 전달한다. 하지만 아프리카 TV는 많은 BJ가 각자의 콘텐츠를 만든다. 콘텐츠마다 구독자가 있고, 구독자가 아니어도 콘텐츠에 댓글을 달며 의사소통을 할 수 있다. 이렇게 커다란 유기체로 움직이는 시스템을 소셜미디어라고 한다. 이런 기능은 영상 매체에서만 이루어지지 않는다. 은행 서비스 안에서도 이루어질 수 있고, 기업 서비스, 쇼핑몰 등 다양한 곳에 존재할 수 있다.

 이런 미디어 중 웹을 기반으로 한 온라인 서비스 중 하나가 SNS이다. 그중 우리가 SNS라고 알고 있는 카카오톡과 네이버 라인은 IM(인스턴트 메시지)이기 때문에 SNS에 속하지 않는다. 그런데 왜 우리는 카카오톡을 SNS라고 알고 있을까? 전 세계 중 유일하게 한국에서는 SNS가 IM 서비스를 통합 흡수했기 때문이다. 그래서 우리는 카카오톡 안에서 게임, 은행 서비스, 친구 관계 활동을 하고 카카오 스토리를 만들어 SNS의 역할까지 하는 독특한 구조로 되어있다. 아는 사람을 기반으로 한 소셜미디어가 탄생한 셈이다. 그래서 대한민국 소셜미디어의 결속력은 강하다.
이런 서비스는 전 세계에서 선발주자로 모범이 되는 사례지만, 이런 형태의 서비스에 대한 부작용도 가장 빨리 경험하는 나라가 한국이다.

 "카페인"

 정신을 각성시키고 피로를 줄이는 등의 효과가 있으며 장기간 다량을 복용하면 카페인 중독을 초래할 수 있다[12]라고 알려진 성분이다. 하지만 현대 사회의 단면은 나타내는 신조어인'카페인'은 SNS의 카카오 스토리 · 페이스북 · 인스타그램의 앞 글자를 따서 만들어졌다.

---

12) [네이버 지식백과] 카페인 [caffeine] (두산백과 두피디아, 두산백과)

카카오 스토리는 '내 아이가 잘 크고 있다'를 보여주기 위해, 페이스북은 '내가 이렇게 잘살고 있다'를 보여주기 위해, 인스타그램은 '나는 지금 이걸 먹고 있다'를 보여주기 위해 이용하고 있다. SNS에 게시물을 올리는 사람과 게시물을 보는 사람의 심리 기제는 허영심, 소속의 욕구, 관음증이다.

SNS의 게시물이 100번의 시도 끝에 얻은 수확물이라는 의미를 담고 있는 '인생샷'이라는 단어는 더는 신조어가 아니다. 이런 사진들을 열심히 찍는 이유와 열심히 보는 이유 역시 같다. 현대를 사는 사람들은 SNS 올라온 '인생샷'을 통해 타인의 행복을 보며 상대적 박탈감을 느낀다. 이러한 현상을 '카페인 우울증'이라고 한다. 우울증은 외로움을 동반한다. 한국은 우울증을 심각한 증상으로 받아들이는데 외로움은 개인적인 성향에 따라 나타나는 증상으로 여기는 경우가 많다. 하지만 우울증과 외로움의 심각성의 크기는 같다.

'외로움'의 심각성에 대해서 다른 나라들은 어떤 관점을 가지고 있을까? 아주경제의 2018년 1월 18일 자 기사의 제목은 <저는 외로움 담당 장관입니다, 영국에 이 독특한 관직은 왜 생겼을까>이다. 영국에서는 외로움 부가 국립통계국과 함께 외로움을 측정하고 이와 관련된 정책을 만들고 있다. 가까운 나라 일본에서는 영국을 벤치마킹해서 <고독부>를 설치했다. 물론 현대를 살아가는 사람들의 구성이 다양하여서 외로움의 원인이 오직 SNS 때문이라고 할 수는 없다. 하지만 한 사회를 떠받치고 있는 젊은 세대와 청소년 세대에게는 심각한 상황이다. 더구나 우리 사회는 새로운 인종의 탄생 '포노사피엔스'에 대해서 이야기하며 '새로운 부의 창출, 새로운 행동의 표준, 새로운 마켓의 중심, 이미 세상은 그들에게 전복당하고 있다!'라는 카피로 젊은 세대를 소개했었다. 하지만 이들은 대면을 두려워하는 '콜포비아'에 힘들어한다. 전화로 주문하기, 카페에서 대면으로 주문하기 등을 어려워하는 이유는 무엇일까? 대면으로 대화하려면 여러 절차를 거쳐야 한다. 오프라인 만남이 익숙한 사람들에게는 '무슨 순서가 있다는 거지?' 하겠지만 대면이 부담스러운 사람은 무슨 인사부터 시작해야 할지, 내가 해야 할 말을 어떻게 조리 있게 해야 할지에 대한 고민이 크다. 대면 주문이 가능한 카페에서도 키오스크를 선택하는 사람들이 늘어간다는 통계가 나왔다. 어려워하는 지금의 세대에게 우울증과 외로움은 훨씬 쉽게 자리를 잡을지도 모른다.

하지만 지금의 문제를 해결할 방법이 없는 건 아니다. 문제를 잘 들여다보면 언제나 해답에 대한 힌트가 들어있기 때문이다. 아래의 그래프를 분석해보면 우리는 그 답을 찾을 수 있다.

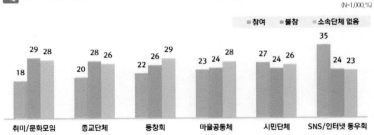

Q 동거 가족 간 대면 소통과 비동거 가족 간 통화 소통 빈도 별 외로움 체감도

(N=1,000,%)

■참여 ■불참 ■소속단체 없음

	취미/문화모임	종교단체	동창회	마을공동체	시민단체	SNS/인터넷 동우회
참여	18	20	22	23	27	35
불참	29	28	26	24	24	24
소속단체 없음	28	26	29	28	26	23

데이터: 한국리서치 정기조사(2018.4)

그래프에서 주황색 막대는 네트워킹 모임에 참석하는 사람들의 외로움 체감도이다. 취미/문화모임, 종교단체, 동창회에 참석할 때는 외로움 체감도가 낮은 데 비해 시민단체, SNS/인터넷 동우회는 비참여 집단보다 참여집단의 외로움 체감도가 훨씬 높게 나왔다. 소셜미디어가 인간관계의 형성에 어떤 역할을 했는지 바로 보여주는 사례라고 할 수 있다.

결론적으로 사람은 만나야 한다는 것이다. 조금 더 나은 사람이 되기 위한 부단한 노력으로 모두가 바쁜 세상이라 오프라인 만남이 쉽지는 않다는 사정에 대해서 우리는 모두 수긍한다. 하지만 나의 내면의 안녕을 위해서 사람의 눈을 맞추고 그 사람의 이야기를 들어주고, 나의 이야기를 할 수 있는 시간을 꼭 갖기를 바란다.

이것만 알면 당신도 디지털 미디어리터러시 지도사

4. 비판적 사고가 필수라고요?

미디어 리터러시에 관련된 책을 쓰는 나는 카톡과 문자를 제외한 어떠한 SNS도 이용하지 않는다. 유튜브에 개인 채널이 있는 줄도 몰랐을 정도로 미디어에 대해서는 문외한이나 다름없던 시기에 공교롭게도 미디어 리터러시를 접하게 되었다. 미디어 리터러시에 대한 공부를 시작하면서 주위 사람들 대부분이 하는 인스타그램, 트위터, 페이스북을 나도 참여해야 하는 건가 하는 고민도 했었다. 하지만 공부를 하다 보니 이 고민은 미디어 리터러시에 대한 무지에서 오는 고민인 걸 자연스레 알게 되었다.

미디어 리터러시에서 중심이 되는 말은 미디어보다는 리터러시이다. 왜냐면 미디어 리터러시의 의미가 '다양한 미디어(매체)에 접근해서 콘텐츠를 비판적으로 받아들이고, 그것을 이용하여 자신의 생각을 더 해 표현하고 소통할 수 있는 능력'인데 이 의미 안에서 콘텐츠를 비판적으로 받아들이는 활동을 리터러시라고 하기 때문이다. 지금의 미디어 환경을 보면 접근, 표현, 소통은 너무나 활발하게 이루어지는 것에 비해 콘텐츠를 비판적으로 받아들인 후 자신의 콘텐츠를 만들어야 한다는 의식은 미비하다는 것을 여러 경로를 통해서 알 수 있다. 기존의 콘텐츠를 비판적으로 받아들이려면 비판적 사고가 바탕이 되어야 하기 때문에 이제 미디어 리터러시의 중요한 기초가 되는 비판적 사고에 대해서 알아보자.

비판적 사고는 아이들의 교육을 처음 시작한 20년 전부터 현재까지 수업하고 있는 환경에서 끊임없이 언급되었다. 어느 시대나 교육에 관련된 유행하는 단어와 현상들이 있다. '나 대화법' '자존감' '회복 탄력성' '비폭력 대화' '감정 코칭' 'PET교육 (부모역할훈련)' 등등 각각의 단어를 세세히 설명하지 않아도 짐작이 된다. 이러한 환경에서 끊임없이 언급된다는 것은 중요하기도 하지만 비판적 사고를 높이기 위한 교육목표에 닿지 못했다는 것이다.

해마다 한국 학생들의 학습능력의 수치는 낮아진다. 아이들과 수업하는 현장에서는 훨씬 직접적 체감을 한다. 비판적 사고는 일반적 사고 다음의 순서이다. 아이들은 사고력에 대한 훈련도 되어있지 않고, 사고력이 바탕이 되어야 할 수 있는 원인과 결과를 찾는 문제를 굉장히 힘들어한다. 국어에서 자신의 생각을 적으라는 문제를 가장 어려워한다. 다른 문제는 눈으로 읽기는 하나, 이해하며 읽지 않기 때문에 이해가 되지 않은 상태로 문제를 풀거나, 문제를 전혀 풀지 못한다. 그래서 엉뚱한 답을 쓰는 아이들이 대부분이다. 유아를 수업한 지는 20년, 초등 교과목 수업은 10여 년이 되어서 직접 체험을 바탕으로 이야기할 수 있는 부분이 정말 많다. 20년 전, 10년 전의 아이들과 비교했을 때 모든 연령에서 차이를 보이지만, 가장 큰 차이를 보이는 연령은 7~9세의 아이들이다. 평균 신장과 언어지수가 높아진 반면에, 이해력을 동반한 학습능력이 현저히 낮아졌기에 어른들이 자칫 아이들이 어른스럽고 똑똑해졌다고 착각할 수 있다. 세대의 특성상 미디어에 대한 활용 능력 또한 뛰어나니 이러한 착각이 확신이 되는 경우를 많이 보았다. 이러한 현상은 미디어의 영향이 적지 않다. 그렇기 때문에 교육을 논하는 자리에서는 사고력, 비판적 사고를 반드시 함께 거론된다.

최근 미디어 리터러시에 대한 관심이 높아지면서 비판적 사고 역시 그 중요성이 더 높아졌다. 반가운 일이지만 디지털의 원주민이고, AI 원주민인 아이들에게 비판적 사고를 위한 체계적인 교육환경이 꼭 마련되었으면 하는 바람이다. 특히 미디어리터러시 가르치는 지도사는 비판적 사고에 대해 명확히 알아 둘 필요가 있다.

비판적 사고의 뜻을 검색해보면 '객관적 증거에 비추어 사태를 비교·검토하고 인과관계를 명백히 하여 여기서 얻어진 판단에 따라 결론을 맺거나 행동하는 과정'이라고 어렵게 표현되어 있다. 간단히 요약하면 '어떠한 사안에 대해서 판단할 때 일정한 기준을 가지고 판단하는 것'이라고 해도 좋을 것 같다. 외국의 경우 미디어리터러시 과목이 정규수업안에 안에 있고 수업 내용 중 비판적 사고를 위한 체크리스트도 있는데 6가지 내용을 살펴보면 다음과 같다.
첫째, 사실과 의견 구분하기
둘째, 주장이나 정보원의 신뢰성 평가하기
셋째, 진술의 정확성 평가하기
넷째, 주장이나 진술의 편견 탐지하기
다섯째, 논리적 비일관성 평가하기
여섯째, 주장의 강도 평가하기

미디어 리터러시가 무엇인지에 논하는 과정에서 반복적으로 거론되는 것이 위의 여섯 가지이다. 미디어 리터러시를 공부하는 과정에서 비판적 사고를 다루는 것이 얼마나 중요한지 알 수 있는 지점이다. 하지만 체크리스트에 나오는 단어들이 우리가 평소에 사용하는 단어가 아니어서 이러한 비판적 사고를 위한 리스트의 내용을 조금 쉽게 이해하기 위한 에피소드를 소개하려 한다. 이 에피소드는 소크라테스의 '체로 세 번 거르기'라는 제목의 일화인데 내용은 이렇다. 어느 날 소크라테스의 지인이 급하게 들어서며 "소크라테스, 이럴 수가 있나? 방금 내가 밖에서 무슨 말을 들었는지 아나? 아마 자네도 이 이야기를 들으면 깜짝 놀랄 걸세."라고 이야기하자 소크라테스가 지인에게 전해주려는 소식을 체로 세 번 걸렀는지를 확인하며 세 가지 질문을 한다.

소크라테스: "첫째, 진실의 체에 걸렀는가? 지금 말하려는 내용이 사실이라고 확신하는가?"

지인: "글쎄…."

소크라테스: "둘째, 선의의 체에 걸렀는가? 자네가 말하고자 하는 내용이 선의에서 나온 내용인가?"

지인: "글쎄…아닌 것 같네만…."

소크라테스: "셋째, 중요함의 체에 걸렀는가? 급하게 뛰어 들어올 만큼 중요한 내용인가?"

지인: "그렇지 않네"

그다음 소크라테스의 반응은 상상이 갈 것이다. 듣지 않겠다고 하는 것까지만 일화로 나온다. 그 이후 지인의 반응을 내 다름대로 상상해 본다면 아마도 이렇게 말하지 않았을까 생각한다.

지인: "내가 자네를 생각해서 해 주는 말인데, 이렇게까지 해야겠나?"라고 말이다. 무척 서운해하며 이야기하는 모습을 우리는 자연스럽게 상상이 된다. 이런 정서는 우리에게 너무 익숙하기 때문이다.

한국은 학연, 지연과는 별개로 '정'이라고 하는 문화가 있다. 지금의 세대는 옆집에 누가 사는지도 모르고, 다른 사람에게 관심이 없다. 젊은 층인 MZ세대를 보면 이성적인 면도 있지만, 온라인상에서 보여주는 모습은 한국만의 '정'문화를 듬뿍 담고 있다. 그러다 보니 사실과 의견의 경계선을 분명히 해야 할 순간이 모호해지는 경우가 많다. 물론 우리가 비판적 사고를 위한 교육의 경험이 부족한 점도 있지만 국민 정서의 원인이 더 크다고 생각된다.

이 경계의 모호함을 조금 더 확장해보면 비판적 사고하는 데 비판과 비난을 동일시하는 것으로 연결된다. 비판은 '현상이나 사물 사물의 옳고 그름을 판단하여 밝히거나 잘못된 점을 지적함'이고 비난은 '남의 잘못이나 결점을 책잡아서 나쁘게 말함.'이다. 말하는 사람은 자신이 지금 비판하려고 하는 것인지, 비난하려는 건지의 구분이 필요하고, 듣는 사람도 상대방이 하는 말이 비판의 의도인지 비난의 의도인지를 잘 구분해서 받아들여야 한다. 비판과 비난을 구분하는 일은 단어의 의미를 알았다고 해서 짧은 시간에 되지는 않는다. 일상생활에서도 어떠한 문제 발생했을 때 비판과 비난, 사실과 의견을 구분하려고 하는 노력만으로도 미디어 리터러시를 잘 이해하고 실천하고 있다고 할 수 있다.

4. 역사책으로 살펴보는 가짜뉴스의 역사

'가짜뉴스' 단어의 조합이 참 재미있다. 진실이 생명인 뉴스와 절대 진실일 수 없는 단어 가짜가 합쳐져서 만들어졌으니 말이다. 가짜뉴스라는 말은 왜 생겨났을까? 이런 궁금증을 해결하기 위해 '가짜뉴스'의 정확한 의미부터 짚어 보기로 하자.
'가짜 뉴스란 정치•경제적 이익을 위해 의도적으로 언론 보도의 형식을 하고 유포된 거짓 정보. 또는 어떠한 의도를 가지고 거짓 정보를 사실인 것처럼 포장하거나 아예 없었던 일을 언론사 기사처럼 만들어 유포하는 것'이라고 말하고 있다. 가짜뉴스라는 말은 이러한 거짓 정보가 너무 많이 생성돼서 진짜 정보와 구별 짓다 보니 생겨난 말일 것이다.

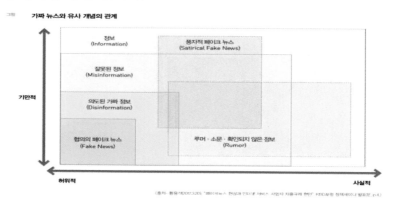

위의 표에서 알 수 있듯이 가짜뉴스는 여러 유형이 있다. 이 유형은 의도성의 존재 여부에 따라 구분된다. 가짜뉴스의 유형 중에

이것만 알면 당신도 디지털 미디어리터러시 지도사

서 우리가 주의 깊게 봐야 할 것은 의도된 가짜 정보, 잘못된 정보, 협의의 페이크 뉴스다.

 우선, 의도성이 있는 가짜 정보에는 Disinformation(특히 정부 기관에서 고의로 유포한 허위 정보), Hoax(사기성 메일)이 있다. Disinformation 은 뒤에서 따로 다루기로 하고 Hoax 먼저 알아보면, Hoax(사기성 메일)가 예전에는 동영상을 가지고 있다는 협박성의 내용을 무작위로 배포하면 많은 사람이 연락이 왔다고 한다. 동영상을 배포하지 않는 조건으로, 돈을 요구해서 금품을 갈취하는 범죄가 뉴스에 보도되었다. 요즘은 비트코인을 일반인도 많이 가지고 있어서, 세계보건기구를 사칭해 비트코인을 통한 기부를 유도하거나, 중소기업을 지원하자는 지원금 관련 사기 메일을 보내거나, 영국 정부나 CDC로 불리는 질병통제예방센터로 속여 말한 메일의 양도 늘어나는 추세이다.

 다음으로 가짜뉴스의 유형인 잘못된 정보(misinformation)는 의도성이 없다. 예를 들면 코로나바이러스가 확산하는 초기에 입안에 소금물을 뿌리면 바이러스를 없앨 수 있다는 확인되지 않은 방법이나, 항생제가 코로나19를 예방하거나 치료하는 데 효과가 있다는 등의 정보는 확진자의 수를 더 늘리려는 의도된 정보는 아니었기 때문이다.

 마지막으로 협의의 페이크 뉴스(Disinformation-특히 정부 기관에서 고의로 유포한 허위 정보)를 매우 주의 깊게 알아보자. 협의의 페이크 뉴스(Disinformation)는 선전(사회학), 선동이라고 한다. 지금의 젊은 세대인 MZ세대에게는 낯선 단어이지만 어른 세대에게는 꽤 익숙한 단어이다. 단어는 낯설어도 의미는 익숙할 수 있다.

협의의 페이크는 한국사, 세계사 모두에서 역사가 굉장히 깊다. 한국사에서 꼭 알아야 할 가짜뉴스는 <관동대학살>이다. 일본 간도에서 지진이 나자 "조센징이 공동 우물에 독을 넣었다."라는 의도된 유언비어를 퍼트려 수많은 조선인을 죽음으로 몰아넣은 사건이다. 왜 일본에서 지진이 났는데 조선인이 학살당해야 했을까?

관동대학살은 관동대지진과 연관이 있는 사건으로 1923년 9월 1일 일본 도쿄에서 M7.2~M7.9의 지진이 5분 간격으로 세 번의 지진이 발생, 3차례 지진 모두 진도가 5분간 지속되었고, 그 여진 또한 2일 동안 15차례 발생으로 그 피해가 엄청났던 지진이라 세계에서 3번째로 규모가 컸던 지진으로 기록되어있는 사건이다. 10만 명 이상이 사망, 20만 채 이상의 집이 무너졌고, 지진으로 인한 화재로 도쿄 기온은 46℃까지 상승했다. 지진피해액은 전년도 일본 총생산량 ⅓이었다. 일본은 거의 무정부 상태였다. 일본에 국가적 위기가 닥치자 일본 정부는 상황을 수습하고 민심을 안심시키기보다 불안해하는 민심의 눈을 돌리기 위해 조선인을 이용하기로 한다. 내무대신(前 조선총독부 정무 총감) 미즈노 렌타로는 "조선인이 쳐들어오니, 여자와 어린아이는 빨리 대피시켜라."라고 경찰과 군인들이 확성기로 외치고 다니게 했다.

그 후에도 일본에 지진이 나면 대한민국 사람이 우물에 독을 넣었다는 내용의 글이 SNS에 올라온다. 그 글들을 조사하다가 주어만 다르고 내용은 똑같은 글을 보게 된다.
"저 악랄한 유대인이 우물에 독을 넣었다!"
평소 유대인에 대한 배경지식이 거의 없는 상태에서 이 문장은 굉장한 궁금증을 유발했다. 특히 그냥 유대인이 아닌 악랄한 유대인이라는 말은 상당한 적대감의 표현이기에 더 궁금했다. 그렇다면 사실일 수도 있지 않을까? 만약 사실이라면 유대인은 왜 그랬을까?

유대인은 B.C582~1948년까지 2,500여 년 동안 국가는 없고 민족만 있던 <유대인 방랑시대>의 역사가 있다. 이 역사로 인해 유대인은 유럽 전역에 피지배자의 계급으로 생활하게 된다. 특히 기독교 세계에서 유대인은 그 권리와 특권을 거의 빼앗기고 살았다. 서기 590년 로마의 감독관이 된 교황 그레고리 1세는 약자인 유대인을 보호하는 척하며 내부로는 '반유대주의'를 조장했다. 반유대주의로 인한 유대인의 피해는 컸다. 유대인은 일반적인 직업을 가질 수 없었기 때문에 성경에서 금지하는 이자 수취업을 할 수밖에 없었다. 길거리에서 유대인에 대한 폭력은 묵인되었다. 무차별 폭력에 대항하는 폭력은 일어나지 않았다. 유대인은 2세기부터 20세기까지 정의를 위한 폭력도 포기했기 때문이다.

국가도 없는 유대인은 어떻게 살아남을 수 있었을까? 유대인의 생존 방법은 '학자 지도 체계'와 탈무드였다. 유대인에게 배움은 신념에 가까웠다. 또한 학자는 무역기술을 습득해야 했다. 유대인을 최초의 합리주의자라 할 만하다. 탈무드를 통해 주입식 교육이 아닌 각자가 이념을 갖게 하는 교육으로 시대에 상관없이 흔들리지 않는 유대인을 만들어냈다. 유대인은 안식일과 식사법을 엄격하게 준수했다. 유대 사회에서 도축하는 사람을 '쇼헤트'라고 하는데 신앙심, 학식, 선한 행실을 갖춘 사람만이 할 수 있는 일이었다.

유대인은 복지 공동체를 위한 모금을 하는 '쿠퍼'를 운영했다. 쿠퍼를 통해 가난한 유대인에게 좋은 음식 재료를 공급해주었다. 유대인에게 식사 시간은 하나님과 교제하는 시간으로 매우 엄격한 시간이기 때문에 모든 유대인이 지킬 수 있도록 하는 제도였다. 이러한 공동체 속에서의 규율이 반유대주의를 더 확산시켰다. 1144년 영국의 노리치에서 윌리엄이라는 소년이 실종되었다. 윌리엄을 마지막으로 본 게 유대인의 집으로 들어가는 거였다는 목격담으로 노리치에 사는 모든 유대인을 살인죄로 기소했다. 그 이후로 노리치에서의 살인 사건의 범인은 유대인으로 지목되어 학살당하거나 도망갔다. 그런데도 유대인은 대금업으로 돈을 모았고, 귀족과 평민에게 많은 돈을 빌려주었다.

1347년 흑사병이 지중해에서 북쪽으로, 유럽 전역으로 전염이 되어 수많은 사람이 사망하는데 그 원인은 찾을 수 없게 되자 사람들은 엄청난 충격에 휩싸였고, 그 원인을 인간이 악의적으로 퍼트린 질병이라는 확신하게 되었다. 그래서 유대인을 고문해 "샤보이의 요한이라는 사람이 작은 꾸러미를 주면서 우물과 물웅덩이, 샘에 뿌려라."라는 허위 자백을 받게 된다. 이 자백으로 샤보이의 요한이라는 모든 유대인은 사형에 처한다.

출처 : 위키피디아 Judensau <왜 그 음식은 먹지 않을까?>

유대인이 암퇘지를 끌어안고 입을 맞추고, 오줌을 받아먹고, 돼지의 젖을 먹고 있는 모습으로 표현했다. 이런 이미지는 인쇄물뿐만 아니라 교회의 벽이나 기둥에도 조각이 되었다. 특히 독일은 그 정도가 심했다. 히틀러의 유대인 학살과 무관하지 않을 거라는 생각을 했다.

지금까지 역사 속에서의 가짜뉴스를 알아보았다. 악의적인 가짜뉴스는 동서양을 막론하고 시대를 막론하고 약자를 대상으로 만들어낸다. 민심의 눈을 돌리기 위해서다. 뉴미디어 시대에 사는 지금도 일어나는 일이기에 나에게 오는 정보가 진짜인지 가짜인지 늘 살펴야 한다.

5. 과학 속 가짜뉴스와 확증편향

과학 분야의 대표적인 가짜뉴스는 2가지가 있다.

출처 : 부산일보13)

첫째 '**지구 평면설**'이다. 말도 안 되는 이야기라고 생각하겠지만 지구 평면설은 기원전부터 과학의 발달과 함께 지구가 둥글다는 교육을 받기 전까지 당연한 학설이었다. 하지만 1800년대 이후, 학교 교육을 받았음에도 불구하고 지구가 평평하다는 것을 믿는 사람들은 존재해왔다. 하지만 그들의 영향력은 미미했기 때문에 일반인들이 잘 알지 못했다.

2000년대 SNS를 통해서 활발한 활동을 하던 사람들이 모여 '평면지구 공동체'라는 단체를 만들어서 활동하고 있다. 현재는 미국 인구의 2%인 600만 명이 믿고 있고 그중 젊은 세대가 4% 정도 차지한다. '지구 평면설'은 SNS와 온라인으로 급속도로 퍼졌다. 지

---

13) 부산일보 "달 착륙이 거짓?" "둥근 지구 사진은 조작?"… '플랫 어스'로 보는 음모론" 2019년 6월 11일자 신문기사

구가 평평하다는 것을 처음에는 인터넷 안에 있는 자료들을 찾아서 증명하려 하고, 최근에는 실험을 통해서 '지구 평면설'을 증명하려 노력하고 있다. 2018년 지구 평면설을 주장하는 이들에 대한 다큐멘터리 <그래도 지구는 평평하다>가 제작되었고, National Geographic에서도 같은 주제로 방송을 했다. 같은 해 한국에서 <평평지구 국제컨퍼런스>가 개최되었다.

출처 : 부산일보

둘째는 '**달 착륙 음모론**'이다. 이 음모론을 처음 제기한 사람은 가구회사 로켓다인에서 문서 관리직으로 잠깐 일해본 게 전부인 인물 '빌 케이싱'이 1974년 <우리는 달에 간 적이 없다.>를 자비 출판을 계기로 아폴로 귀환 후부터 있던 음모론에 힘을 싣게 되었다. 당시 음모론을 믿는 사람은 6% 정도였는데 미국 FOX TV社에서 2001년 2월 15일 '달 착륙 음모설: 우리는 달에 착륙했는가? (Did we land on the moon?)'의 방송 후 20%로 급격히 늘었다고 한다. 미국인들 중 달착륙에 대한 회의를 갖고 있는 사람들의 층이 꽤 두텁다. FOX사는 이 프로그램으로 2억달러(한화 2588억)의 수입을 올렸고 빌 케이싱 역시 평생 달 착륙 음모론에 관한 강연과 책의 출판으로 많은 돈을 벌었다.

지구가 평평하다고 주장하는 사람들과 아폴로13호가 달 착륙을 하지 않았다고 주장하는 사람들의 공통점은 '목적 지향적 사고'를 한다는 점이다. 목적 지향적 사고의 예를 들면, 우리는 해가 뜨는 현상은 지구의 자전으로 인한 현상이고 해가 뜨기 때문에 햇빛이 생긴다는 걸 의심하지 않는다. 하지만 목적 지향적 사고를 하는 사람들은 햇빛이 비치는 현상이 필요하면 '햇빛을 비추기 위해서 해가 뜬다'라고 이야기하는 결론을 위해 과정을 무시하거나, 과정과 결론을 바꾸어 버리는 사고방법이다.

여기에 더해 지구가 평평하다고 처음 주장한 맷 보일런과 그 가설을 널리 알린 마크 서전트나, 달착륙에 대한 의문을 처음 제기한 로켓다인 직원이었던 '빌 케이싱'은 아마도 능력이 없는 사람이 잘못된 결정을 내려 잘못된 결론에 도달하지만, 능력이 없기 때문에 자신의 실수를 알아차리지 못하는 현상인 '더닝 크루거 현상'을 가지고 있는 사람일 가능성이 크다. 그래서 내가 알고 있는 사실이 전부라고 생각하고, 더 이상 알아낼 건 없다고 생각했기 때문에 끊임없이 의문을 제기하고 주장했을 것으로 짐작된다.

두 가설의 차이점은 가설의 확산속도다. 아폴로 13호가 달 착륙한 날은 1969년 7월 20일이다. 이 사실에 대한 의문을 제기한 해는 1976년으로 7년이나 흐른 뒤였고, TV프로그램으로 제작되는 2001년까지 32년이라는 시간이 흘렀다. 하지만 '지구 평면설'의 확산속도는 무척 빠르다. 2018년에 다큐멘터리 영화 <그래도 지구는 평평하다>가 제작되었고, 2019년 National Geographic 채널에서는 <지구 평면론, 사실은 평평하다?>를 방송했다. 지구 평면설은 아주 오래전부터 제기되었지만 본격적으로 확산된 건 최근 몇 년간의 일이다. 미국 국민의 2% 정도가 이 가설을 믿는데 그중 20대의 확산속도가 가장 빠르다고 알려졌다. 이유는 미디어의 발달일 것이다.

'가짜뉴스는 확증편향을 타고 전파된다.' 카이스트 차미영 교수의 말이다. '목적 지향적 사고'나 '더닝 크루거 현상'은 인지편향 중 '확증편향'과 유사하다. 확증편향은 자신의 가치관, 신념, 판단 따위와 부합하는 정보에만 주목하고 그 외의 정보는 무시하는 사고 방식이다. '지구 평면설' '달착륙 음모론'이 이를 믿는 사람들에게 물리적 해를 입지는 않지만 장기적으로는 사회 고립으로 인한 정서적 결함이라는 심리적 해를 입을 수는 있다.

이런 사고방식은 현대에만 존재하는 것일까? 절대 그렇지 않다. <마녀사냥>은 중세 새대의 확증편향으로 인해 많은 사람을 죽음에 이르게 한 대표적인 사건이다. 마녀사냥이라고 해서 여성만 죽이는 것이 아니라 남성과 아이들까지 대상이 되었다. 물론 종교적인 입장에서 열등한 존재로 지목되었던 여성의 사망이 가장 많았다.
이 마녀사냥을 주도한 세력이 신교세력인 마르틴 루터와 마르틴 루터를 파문한 구교세력이라는 점이 아이러니하다. 여기에 신학자들과 주교, 의사, 학자들이 가세해 마녀에 대해 논의한 주제가 '마귀와 여자는 성교할 수 있는가?' '마귀와 처녀가 성교하면 처녀성은 다치는가, 다치지 않는가?'이다. 마녀재판에서 마녀는 마귀와 성교를 했다고 가정하고 재판을 진행했다는 기록이 많다. 그 대답을 얻기 위한 고문의 종류와 사형을 시킬 때의 잔인한 방법들을 나열하지는 않겠다. 하지만 이런 잔인한 고문이 가능한 이유는 확증 편향적 사고 때문이라는 것을 꼭 이야기하고 싶다.

대부분 사람은 아니면 모든 사람은 정도의 차이는 있지만 확증 편향적 사고를 한다. 그렇다면 이런 인지 편향의 사고에서 벗어나는 방법은 없는 걸까? '회의주의는 우리가 확증편향을 벗어날 수 있는 가장 훌륭한 해독제이다.' 스켑틱의 저자 마이클 셔머의 말이다. 회의주의는 지식의 가능성을 의심하는 철학적 상황을 말한다.

마이클 셔머는 더 나아가 철학적 입장을 과학으로 증명한다고 이야기하는 듯하다.

그렇다면 과학자들은 과학을 부정하는 이들을 어떻게 보고 있을까? 다큐멘터리에서 어느 과학자의 인상적인 논평이 있어서 인용해 본다. "평면지구인들을 경멸로 대하면 안 됩니다. 그들을 잠재적 과학자들로 바라봐야 해요, 우리는 과학계의 대표로서 지금보다 더 잘해야만 합니다." 이 메시지는 나에게 음모론자, 확증 편향적 사고를 하는 분들에 대해 많은 생각을 하게 해주었다. 우리도 예외는 아니다.

7. 캔바 활용 카드 뉴스 제작

이제 누구나 뉴스를 만들 수 있다. 내 주변에서 일어나는 일들을 알리는 것도 지역뉴스라면 뉴스다. 정식 기자라면 기사글 쓰기 교육이 필요하다. 기사글 작성하기 위한 글쓰기의 원칙이 있다. 『미디어 글쓰기』 2005. 황성근은 다음 다섯 가지 원칙을 제시한다.
첫째, 육하원칙에 충실하라.
둘째, 사실관계를 중심으로 쉽게 써라.
셋째, 간결하게 쓰라.
넷째, 사건의 중요성과 의미를 담아라.
다섯째, 주어와 술어, 수식어를 제자리에 두라.

『미디어 글쓰기』 2015. 조철래는 위의 원칙에 더하여 좀 더 구체적인 여덟 가지 원칙을 제시한다.
첫째, 일반 문장에서 존대어는 사용하지 않는다.
둘째, 인용 문장에서는 상황에 따라 존대어를 사용한다.
셋째, 두 번째 언급부터 약칭을 사용한다.
넷째, 인명은 반드시 한글로 표기한다.
다섯째, 인명의 경칭에는 남녀 모두 '씨' 자를 사용한다.
여섯째, 직함을 밝힐 땐 경칭을 사용하지 않는다. 이때 '씨' 자 대신 직함을 사용해야 한다.
일곱째, 미성년자의 경우 남자는 '군', 여자는 '양'을 붙인다.
여덟째, 나이는 반드시 괄호를 사용해 표기한다.
　정식 기사글 작성으로 뉴스 보도하고도 별도의 카드 뉴스를 제작하기도 한다. 신문사뿐만 아니라 정부 부처에서도 직접 카드 뉴스를 제작해서 홈페이지에 올린다. 카드 뉴스는 모바일 환경에 적합하게 이미지 형태로 전달할 메시지만 보여줌으로 가시적인 효과가 크다. 서울마을미디어 뉴스레터인 2016년 7월호 마중 <원숭이도 따라하는 카드뉴스 만들기>[14]에 카드 뉴스 만들 때 알아두면 좋을 여덟 가지를 소개하고 있다.

1, 2. 풀어서 쓰는 긴 글보다는 한 장 한 장 핵심 정보만 담는 것이 좋습니다.

3. 재미있는 이야기도 길어지면 지루한 법! 처음 제작하는 카드뉴스라면 짧게 시작해 보세요.

4. 제목 텍스트는 경우에 따라 상, 하, 좌, 우, 중앙에 배치할 수 있으며 기사 텍스트의 경우 한 페이지당 좌측, 우측, 중앙정렬 또는 양측정렬로 맞추는 것이 기본입니다.

5. 핵심 내용을 앞에 배치해 주어야 호기심을 가지고 읽게 되며 끝까지 읽을 확률이 높아진다고 합니다.

6. 내가 만든 컨텐츠가 "공유"되기 원한다면 저작권 없는 이미지와 폰트를 사용하는 것은 필수입니다.

(Tip. 고딕체 스타일의 폰트는 신뢰감을 주기 때문에 정보 전달에 주로 사용되며, 명조체 스타일의 폰트는 감성에 호소하는 글씨체로 인용 문구나 강조하고 싶은 말을 "따옴표"와 함께 사용하기도 합니다.)

7. 카드뉴스 뿐만 아니라 웹포스터 등의 작업에서도 제목, 내용, 포인트 폰트 세 가지 정도의 폰트만 사용하는 것이 좋습니다. 다양한 폰트를 사용하게 되면 내용이 가려지고 조잡해 보일 수 있기에 삼가야 합니다.

8. 모바일에서 눈에 잘 들어오려면 은은한 컬러의 배색보다는 임팩트 있는 보색을 활용하는 것도 필요합니다.

---

14) https://maeulmedia.tistory.com/364

카드 뉴스 만들 때 유의 사항까지 알아봤으니 이제 카드 뉴스를 만들어본다. 카드 뉴스는 만드는 방법도 여러 가지가 있다. 타일 (www.tyle.io) 같은 모바일 프로그램도 있고 PC용 프로그램이나 디자인 플랫폼도 있다. 카드 뉴스 외에도 활용도가 높은 캔바 디자인 플랫폼으로 만들어 본다.

1) 카드 뉴스 템플릿 찾기
로그인 후 홈 화면에서 카드 뉴스라고 검색한다.

2) 디자인 템플릿 선택하기
검색된 템플릿 중 마음에 드는 디자인을 선택한다.

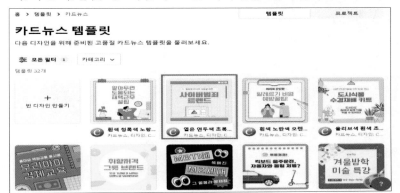

[이 템플릿 맞춤 편집하기]를 선택한다. 카드 뉴스는 기본 1,080*1,080px로 설정되어있다. 설정대로 제작하면 된다.

4. 텍스트 추가/변경하기

아래와 같이 편집할 수 있는 창이 새로 열리면 그 창에서 영상 편집을 시작할 수 있다. 기존 텍스트 박스를 클릭하여 문구를 수정한다.

5. 다양한 요소 추가하기

캔바는 다양한 요소를 제공한다. 일러스트, 사진, 도형, 동영상, 오디오 등 원하는 요소를 적절하게 골라 카드 뉴스에 활용할 수 있다. 왼쪽 메뉴의 ①[요소] 탭을 선택 후 ②에서 원하는 키워드를 검색한다. ③[그래픽]을 선택 후 ④원하는 이미지를 골라서 ⑤오른쪽 카드 뉴스에 삽입 후 크기와 위치를 적절히 배치한다.

6. 장면 추가 및 편집하기

아래 화면의 빨간 동그라미 부분 [v]를 클릭하면 모든 카드 뉴스 페이지를 볼 수 있고, 각 페이지를 선택해서 동일한 방법으로 텍스트와 요소를 편집한다. 맨 끝에 + 버튼을 클릭하여 새로운 페이지를 추가 할 수 있다.

7. 카드 뉴스 공유하기

오른쪽 상단 ①[공유] 버튼을 클릭하고 ②[공개 보기 링크]를 선택한다. ③[공개 보기 링크 만들기]를 클릭하면 로그인하지 않은 사람도 볼 수 있는 공개 링크가 생성되고 자동으로 복사까지 된다.

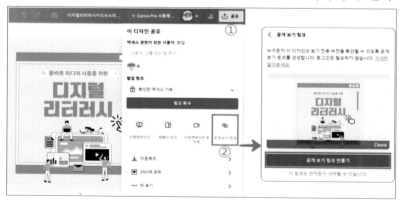

복사된 링크를 단톡방에 공유하여 완성된 카드 뉴스를 다 같이 보면서 카드 뉴스에 대한 피드백을 하면 된다. 수강생들은 직접 제작한 카드 뉴스를 공유해 보며 다시 한번 생산자로서의 미디어와 가짜뉴스에 대한 경험을 나눠 볼 수 있다.

캔바에서 제작한 결과물은 내가 로그인한 계정에 자동으로 저장되고 언제든지 다시 불러 편집할 수 있다.

8. 유튜브 저널리즘이 중요한 이유

2005년 4월 23일에 유튜브의 공동 창립자인 자베드 카림이 동물원 코끼리를 뒷배경으로 하고 "코끼리는 코가 길다는 것이 가장 큰 특징이다."라고 말하는 19초짜리 첫 영상을 올렸다. 한국은 2008년 서비스를 시작한 이후 2024년 현재의 월간 이용자 수는 4,564만 5,347명이다. 가입자 수는 전 세계 15위이지만 동영상 총 조회순은 전 세계 7위이다.[15] 마치 한국 사회의 시장 형성이 유튜브에 의해서가 아닐까 하는 생각이 들 정도의 수치들이다. 2020년에 조사한 바에 의하면 대한민국에서 가장 신뢰하는 언론 1위가 유튜브다.

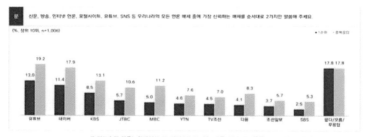

---

15) 출처 : 뉴시스 <유튜브, 카카오톡 제치고 한국 사용자 수 1위> 2024.02.13

생각을 정리해보면 유튜브가 TV, 신문의 역할을 대체하고 있다. 그렇다면 우리는 언론의 역할을 생각해보아야 한다. 우리는 언론을 흔히 저널리즘이라고 생각한다. 하지만 언론의 역할과 저널리즘의 역할은 다르다.

저널리즘은 저널(journal) 이라는 단어에서 파생되었다. 저널(journal)은 흔히 정기적으로 발행되는 신문이나 잡지를 말한다. 여기에 종사하는 사람을 저널리스트(journalist)라고 한다. 저널리즘은 저널리스트(journalist)의 활동을 의미하는데, 조금 더 자세히 저널리즘(journalism)의 사전적인 의미를 살펴보면 활자나 전파를 매체로 하는 보도나 그 밖의 전달 활동, 또는 사업. 특히 시사적인 사안16)에 대한 보도, 논평 등을 사회에 전달하는 것을 의미한다. 저널리즘(journalism)이라는 단어의 뜻에서 가장 눈여겨봐야 할 부분이 전달이다. 이에 비해 언론은 여론을 형성하는 활동이다.

"귀하는 아래 각 매체를 언론이라고 생각하십니까? 언론이 아니라고 생각하십니까?"17)

위의 설문에 대해 온라인 동영상 플랫폼(유튜브)을 언론이라고 생각하는 응답 비율이 31%로 10명 중 3명이다. 그리고 유튜브는

---

16) 시사적인 사안이란 그 당시에 일어난 여러 가지 사회적 사건과 관련된 것이다.
17) 한국언론진흥재단 2023 언론수용자 조사 p145

가장 영향력 있는 한국 언론매체 7위에 올랐는데 한국의 수많은 언론사와 매체를 제치고 순위에 오른 셈이다. 이와 같은 현상은 유튜브에 뉴스나 시사 정보를 게시하는 주체가 방송사, 신문사, 인터넷 언론 등 기존 언론사 외에도 정당, 공공기관, 교육기관, 기업, 각종 단체, 임시적 집합, 개인 등 매우 다양하기 때문이다.

그렇다면 사람들은 어디까지를 뉴스라고 생각할까? 뉴스의 범위를 정할 수는 없지만, 예전보다 뉴스의 범위는 넓어진 데 비해 정치·시사의 양극성은 더 심해진 환경으로 인해 저널리즘이 가져야 하는 가치와 의무에 대해서 더 중요해졌다. 저널리즘의 가치는 시대와 미디어의 상황에 따라 변한다. 하지만 유튜브는 생산자-플랫폼-소비자가 모두 저널리즘의 가치에 대한 책임을 져야 하는 구조이고, 이 점은 다른 플랫폼과 뚜렷하게 구별되는 특징이다.

유튜브 저널리즘이 위험하면서 중요한 이유

유튜브 저널리즘이란 말이 나올 정도로 유튜브로 뉴스를 보는 사람들이 많고 그만큼 큰 영향을 미치기 때문인데 유튜브 저널리즘이 위험하다. 유튜브로 뉴스를 콘텐츠로 만드는 유튜버들은 기자가 아닌 경우가 많고 사건을 취재하지 않고 기사를 보고 자신의 주관대로 설명하거나 확대재생산한다. 취재를 하지 않았기에 기사에 실리지 않는 내용은 알 수 없다. 그럼에도 자극적이고 선동적인 내용을 다룬다. 클릭수가 많아지고 구독자가 늘어난다. 유튜브를 본 사람들은 '뉴스'라고 되어있기에 사실이라고 믿는다.

그러면 저널리즘의 가장 큰 가치는 무엇일까? 바로 '진실성'이다. 왜 진실성이 중요한지에 대해서 따로 설명하지 않아도 지금 한국 사회에서 '가짜 뉴스'에 대한 대처 방안을 법으로 규제하려는 움직임을 보더라도 충분히 짐작할 수 있다. 진실성 이외의 가치로는 뭐가 있을까? 다양성, 정확성, 심층성, 인격권 보호 등 전통 저널리즘의 가치에서 다루지 않았던 부분을 새로운 저널리즘의 가치로 세웠다.

전 JTBC 보도 담당 사장 손석희 씨는 앵커 브리핑에서 " 시대가 바뀌어도 모두가 동의하는 교과서 그대로의 저널리즘은 옳은 것이며, 그런 저널리즘은 특정인이나 특정 집단을 위해 존재하거나 복무하지 않는다는 것입니다."라고 말했다. 지금 현실에 꼭 필요한 조언이라고 생각한다.

9. 유튜브 시민으로 유티켓은 무엇이 있을까?

 내가 왜 이 영상을 보는지 모르면서 계속 유튜브에서 헤어나오지 못할 때 "유튜브 알고리즘이 나를 여기까지 오게 했다."라고 한다. 코로나로 온라인 개학을 하는 학생도 '유튜브는 생활파괴의 주범'이라고 했다. 낮과 밤이 바뀐 생활에 유튜브가 원인이라는 것이다. 유튜브 이용자들이 알고리즘 추천영상을 보는데 전체 소비시간의 70%를 사용한다고 한다. 유튜브는 영업비밀이기에 추천 알고리즘을 밝히지 않는다.

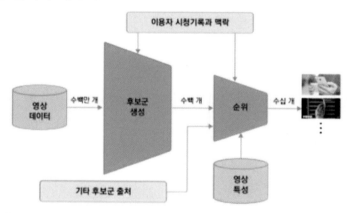

출처: Covington et al. (2016)

 구글의 연구자들이 발표한 논문에 따르면 유튜브의 추천 알고리즘은 추천할 영상의 목록을 만드는 알고리즘(candidate generation)과 그 목록에서 추천 순위를 정하는 알고리즘

(ranking)으로 구성된다.18) 추천 순위를 정하는 알고리즘은 클릭 수보다 시청시간이 더 영향을 준다고 한다. 다음은 유튜브 추천 알고리즘 구성을 보여주는 그림이다.

유튜브 알고리즘은 알려진 바 없지만 내가 본 영상과 유사한 영상을 자동으로 추천 영상으로 이어지는 것은 모두 알고 있다. 특별한 목적 없이 유튜브 영상을 보다 보면 계속 추천 영상을 보겠지만 많은 사람들은 유튜브에 자신이 원하는 키워드를 입력해서 보는 것을 선호한다고 조사에 응답했다. 유튜브는 알고리즘와 달리 트렌드를 직접 입력을 통해 알아볼 수 있다. 유튜브 트렌드 분석 (https://trends.google.com/trends/explore)을 입력하고 원하는 키워드를 넣으면 전 세계의 비율까지 보여준다. 나라별 키워드 순위도 알 수 있다. 유튜브에 검색 키워드, 해시태그 등이 빅데이터로 수집되어 있으니 가능할 것이다.

그럼 유튜브 알고리즘 작동원리도 어느 정도 알게 되었고 트렌드도 알아볼 수 있으니 나는 유튜브를 어떻게 이용하고 있고 얼마나 시간을 보내는지 왜 유튜브를 보는지 질문을 해볼 수 있다. 학생들에게 물어보면 재미있어서, 영상 보는 걸 좋아해서, 영상을 직접 만들 수 있어서라고 한다. 이용 시간은 개인차가 있다. 전혀 안 보는 학생부터 몇 시간씩 보는 학생까지.
나에게 유튜브란? 즐거움을 주는 것, 각자의 개성을 뽐내는 곳, 원하는 영상을 볼 수 있는 것, 자유, 힐링, 만능사전, 다른 사람들의 마음 등 다양한 이야기가 나왔다. 유튜브 좋았던 혹은 기분 나빴던 경험으로 유튜브 에티켓 브레인스토밍을 해본다. 오프라인 수업이 가능하다면 모둠을 나누어서 해도 좋다. 다양한 의견들이 나

---

18) <유튜브 추천 알고리즘과 저널리즘> 한국언론진흥재단, 2019년 오세욱, 송해협, 유은, 현일성 공동연구

올 수 있도록 브레인스토밍의 기본인 '다른 사람의 의견에 비판하지 않기'에 대해 알려준다.

댓글로 거짓 정보 유포하지 않기, 악성 댓글 달지 않기 정도에서 더는 의견이 안 나올 수 있다. 유튜브 이용자로만 생각하기 때문이다. 그럴 땐 '네가 유튜버라고 생각하고 영상을 만들어 올렸다면 어떨 것 같은지에 대해서 생각해봐'라고 해주면 생각을 확장할 수 있다. 확인되지 않는 영상을 올리지 않기, 다른 유튜브 채널에 자기 유튜브 구독 구걸하지 않기, 실제로 당해봐서 아는데 다른 의견을 내는 것은 좋은데 욕은 안 했으면 좋겠다, 누군가의 영상을 베끼거나 누군가에 영상을 자기 채널에 똑같이 올리지 않기, 자신의 영상과 연관이 없는데 유명인 언급하지 않기, 영상을 올리는 사람도 영상이 많은 사람들에게 노출되니 좋지 않은 영향을 미치는 영상이나 썸네일은 만들지 않기, 저작권, 출처 표시하기 등 생각보다 많은 의견을 말했다.

수강생들이 말한 내용을 정리해서 같이 대여섯개의 유티켓을 정한다. 저작권이나 출처에 관한 이야기가 나오니 이와 관련된 내용도 알려주면 좋다. 이 글에선 따로 마련되어 있으니 그 글을 참고하면 된다. 자신의 영상과 연관이 없는데 유명인 언급하지 않기는 일명 어그로라고 하는데 시청을 유도하기 위해 자극적이고 유행하는 키워드나 썸네일, 유명인 언급 등을 하는 것을 말한다. 자신만의 콘텐츠를 찾고 지속하는 것이 진정한 구독자를 늘리는 방법이라는 것도 알려주며 누구나 유튜버가 될 수 있으니 이제 소비자에서 생산자로 관심을 가져보고 유티켓도 마찬가지로 생각해볼 것을 이야기한다. 학생들도 유튜버로 영상을 만들고 채널 운영하는 것에 관심이 많기 때문에 현실적인 의견이 나오는 것이 가능하다.

다음 글에선 이렇게 정해진 유티켓을 캡컷 앱으로 영상을 만드는 방법을 알려줄 것이다. 수강생들에게도 미리 알려준다.

10. 캡컷 활용 유티켓 영상 제작

유티켓을 수강생과 함께 정한다. 1. 악성댓글 달지 않기, 2. 욕하지 않기, 3. 어그로로 낚시성 제목이나 썸네일 만들지 않기, 4. 출처 표기하기, 5. 저작권 위배 되지 않는 영상 만들기, 6. 구독 구걸하지 않기, 7. 표절 영상 만들지 않기 수강생과 정한 유티켓 규칙을 캡컷 앱을 사용해서 영상으로 만들어보는 실습을 해본다.

스마트폰에 저장된 동영상이나 사진 중에 유티켓 영상과 어울리는 것을 고른다. 미리 저작권에 위배되지 않는 사이트 (https://pxhere.com/, https://pixabay.com/ko/ 등)에서 사진을 다운 받아놓는 것도 방법이다.

① 구글 플레이 스토어에서 한글로 캡컷을 검색하면 로고가 보일
것이다. 그걸 설치하고 설치가 끝나면 열기를 누른다.
② 캡컷 실행하면 제일 위에 새 프로젝트의 + 마크를 누른다. (밑
에 영상은 그전에 만든 영상이 있다면 보이는 것이다.)

③ 사진을 골라 아래 추가 버튼을 눌러 선택한다. 여러 사진과 영
상을 고를 수 있다.
④ 선택된 사진으로 영상을 만들 수 있고 아래 추가 버튼을 눌러
사진을 더 추가할 수 있다.

⑤ 선택한 사진으로 영상이 만들어진 것이 보일 것이다.
⑥ 영상 제일 끝에 캡컷 워터마크가 엔딩으로 있는 것은 선택해서
아래 삭제 버튼을 눌러 없애준다.

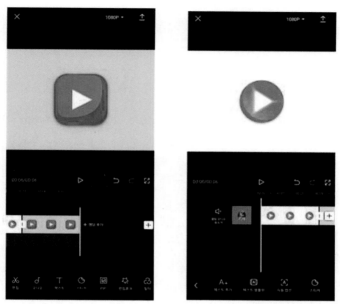

⑦ 엔딩이 없어진 것이 보인다. 아래 메뉴 중 세 번째 있는 텍스트를 선택해서 글씨를 입력할 차례다.

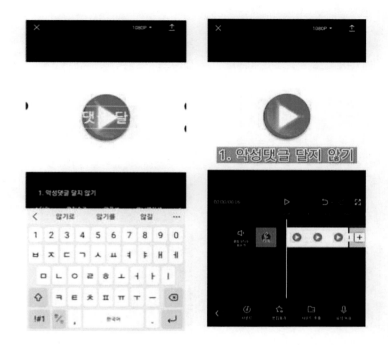

⑧, ⑨ 텍스트 추가 버튼을 누르고 유티켓 규칙을 입력한다.

⑩ 글씨를 입력하면 텍스트를 편집할 수 있는 화면이 보인다. 스타
일에서 글자색을 바꾸거나 배경을 바꿀 수 있다.

⑪ 글자색을 빨간색으로 바꾸고 배경을 회색으로 선택한 화면이다.

이것만 알면 당신도 디지털 미디어리터러시 지도사

⑫ 두 번째 유티켓 규칙을 입력하고 텍스트 편집에서 에니메이션 중에 다른 것을 선택해보는 것도 좋다. 일곱 번째 규칙까지 같은 방법으로 입력한다.

⑬ 이제 음악을 넣어본다. 제일 앞으로 이동해서 메뉴 첫 번째 사운드 버튼을 누른다.

 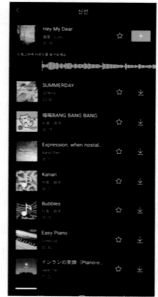

⑭ 캡컷에서 제공하는 음악목록 중에 유티켓과 잘 어울리는 음악을 고른다. 아래 사운드 삽입은 내 스마트폰에 있는 음악을 가져오는 기능인데 저작권 위배되지 않는 음원인지 모른다면 캡컷에서 제공하는 음원을 사용하는 것이 좋다.

⑮ 음악을 들어보고 마음에 들면 + 버튼을 눌러 적용한다.

이것만 알면 당신도 디지털 미디어리터러시 지도사

⑯ 배경음악이 적용되어 들어온 것이 보인다. 영상보다 음악이 길면 마지막 부분에 하얀 바를 위치시켜 놓고 음악을 선택한 상태에서 아래 메뉴 중 분할 버튼을 누르면 2개로 나뉜다.
⑰ 분할된 뒷부분을 선택해서 삭제하면 영상까지만 음악이 재생된다.

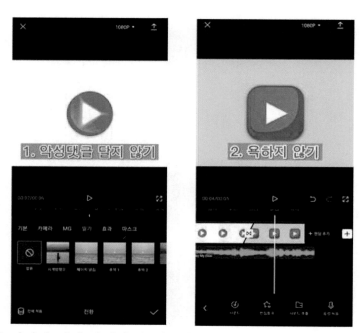

⑱ 사진과 사진 사이에 ㅣ마크가 있다. 장면과 장면이 넘어가는 경계인데 아무런 효과 없이 영상을 만들어도 되지만 ㅣ를 누르면 장면전환 효과를 넣을 수 있다. 장면전환 효과를 넣으면 영상이 훨씬 역동적으로 보인다. 맘에 드는 효과를 선택한다.

⑲ 장면전환 효과까지 다 넣었다면 이제 저장하면 된다. 제일 위 오른쪽에 ↑버튼이 내보내기로 저장에 해당한다.

⑳ 내보내는 중... 이라는 글씨가 보인다.

㉑ 내보내기가 끝나면 '공유 준비 완료' 메시지와 함께 밑에 sns 아이콘 버튼을 눌러 바로 공유할 수 있다. 영상은 내 스마트폰의 갤러리와 캡컷에 자동으로 저장되고 언제든지 불러 편집할 수 있다.

이렇게 완성한 영상은 강사에게 보내 다 같이 보면서 피드백해주면 된다. 수강생은 정한 에티켓을 영상으로 만들어보며 다시 한번 규칙을 생각해보고 영상을 만드는 생산자로의 경험을 할 수 있다.

이것만 알면 당신도 디지털 미디어리터러시 지도사

Ⅲ. 미디어 콘텐츠 생산

1. AI 리터러시, 인공지능의 역사와 개념

" 인공지능은 새로운 전기이다."19)

위의 문장은 인류 역사의 발전에서 가장 중요한 기술인 전기의 등장을 AI의 등장과 같다는 의미에서 사용한 문장이다. 전기의 등장으로 인류는 얼마나 큰 발전을 이루었을까? 지금 우리가 살아가는 환경에서 전기의 영향이 미치지 않는 분야를 찾을 수 있을까? 힘들 것이다. 그래서 반대로 가장 영향을 많이 받은 분야를 생각해보니 전기에 의한 가장 큰 변화를 보여 준 분야는 산업 분야로, 세계사적으로 큰 의미가 있는 산업혁명을 촉진하는 데 큰 역할을 했다. 산업혁명에 전기가 더해졌으니 시너지 효과가 인류사에 어떤 변환점을 만들었는지 우리는 쉽게 찾아볼 수 있다. 앤드류 웅은 '100년 전에 전기가 산업을 변화시켰듯이 AI가 새로운 전기라고 생각하기 때문에' 2017년 1월에 강의에서 AI의 등장을 전기의 등장과 빗대어 표현했다. 뛰어난 비유라는 생각이 들었다.

우리는 우리에게 다가온 인공지능을 우리는 얼마나 알까?
과거에는 언제나 새로운 기술의 등장은 사회적 두려움을 동반했다. 새로운 기술에 대한 정보가 없으므로 어쩔 수 없이 겪어야 하는 일이었다.

---

19) " AI is a new electricity." 2017년 1월 25일 <MSX 미래 포럼>
　에서 앤드류 웅의 강의 제목

하지만 4차 산업 시대인 현재는 다르다. 새로운 기술이 등장하면 우리는 그것이 무엇인지 알아볼 수 있고, 그 정보로 바탕으로 판단하고 수용하고 활용할 수 있다. 이 과정을 리터러시라고 한다.

인공지능이 21세기에 어느 날 갑자기 나타난 것이 아니다. 우리가 상상도 하지 못하는 곳에서 시작되어 지금 우리의 곁에 와 있다. 인공지능의 역사가 전기의 역사만큼 길지는 않지만, 역사의 시간에 비추어 볼 때 인공지능의 발전은 우리가 짐작조차 하기 어려우므로 인공지능을 잘 알아야 할 필요가 있다. 이런 과정을 담고 있는 것이 'AI 리터러시'이다.
하지만 AI 리터러시에 대한 정의가 정확하게 마련되어 있지는 않다. AI에 관련된 다양한 분야에서 다양한 정의를 내리고 있으므로 종합해서 정리해 보면 다음과 같다.

 AI 리터러시란 인공지능에 대한 기본 개념과 원리를 이해하고, 이를 바탕으로 비판적으로 사고하며, 효과적으로 인공지능과 협업하여 일상생활의 문제 해결을 도모하는 총체적 능력이다.

인공지능의 개념

AI 리터러시의 첫걸음은 인공지능의 개념을 알아보는 것에서 시작한다. 인공지능은 우리의 생활과 얼마나 가까울까? 우리가 사용하고 있는 인공지능을 생각해보면 적지 않다. '빅스비', '아리아', '지니', '알렉사' 모두 음성 인식 AI로 우리의 생활과 밀접하다. 하지만 우리에게 인공지능이란 무엇이라고 각인시킨 건 이세돌 국수와 바둑을 두어 이긴 '알파고'이다. 마블 영화 속 토니(아이언맨)의 비서인 '자비스'를 떠올릴 수 있다. 하지만 인공지능이 영화에 최초로 등장한 해는 1968년 스탠리 큐브릭 감독의 작품 <2001 : 스페이스 오딧세이> 이다. 1968년에 HAL 9000이라는 이름의 인공지능이 영화에 등장해 인간과 의사소통 하는 장면이 나온다.

전기를 무서워하던 사람들의 세대를 지나 정전이 되지 않으면 전기를 자각하지 못하는 현대인들처럼 인공지능의 존재가 지금은 다소 불편하지만, 시간이 흘러 인공지능에 대한 관점이 바뀌게 되는 시간인 미래에 새로운 무엇이 발명된다면 아마도 "OOO는 새로운 인공지능이다"라고 하지 않을까 하는 생각을 해본다.

인공지능의 역사

인공지능이라는 말은 누가 처음 사용했을까? 또 인공지능은 누가 만들었을까? 이 질문을 바탕으로 인공지능의 역사를 알아보자. '인공지능'이라는 말은 1956년 존 매카시에 의해서이다. 존 매카시는 미국의 인지과학자이자 컴퓨터 과학자이고 프로그래밍 언어 LISP의 아버지로 잘 알려져 있는데 1956년 당시 다트머스에서 두 달짜리 워크숍을 조직하면서 동료 과학자들에게 아래와 같은 내용으로 제안서를 보낸다.

이 제안서에서 인공지능이라는 단어를 최초로 사용했다. 2달의 워크숍으로 연구의 큰 성과는 없었지만, 다트머스 대학에 있는 존 매카시의 제안으로 프린스턴, IBM, 카네기 공과대학에 몸담고 있던 과학자들과 새로운 분야를 만들어냈다.

인공지능의 역사는 컴퓨터의 역사를 바탕에 두고 있다. 그래서 인공지능을 이해하기 위해서는 컴퓨터를 먼저 이해해야 한다. 최초의 컴퓨터는 무엇일까? 어느 것이 최초의 컴퓨터인지에 대한 논란이 생긴 지는 얼마 되지 않았다. 논란이 생기기 전에는 미국의 '에니악'이 세계 최초 컴퓨터라고 컴퓨터 역사에 기록이 되어 있었기 때문이다. 하지만 지금은 세계 최초의 컴퓨터를 검색하면 영국의 '콜로서스'라고 나온다. 이런 일이 왜 생긴 걸까? 앨런 튜링이 만든 최초의 컴퓨터인 '콜로서스'가 어떻게 탄생했는지 알아보자.

콜로서스는 제2차 세계 대전 중에 만들어졌다. 전쟁을 일으킨 독일은 지리적으로, 영국을 점령하면 유럽 전체를 자신의 식민지로 만들 기회이기에 신무기를 만들면서 영국을 반드시 점령해야만 했다. 이때 등장한 무기가 U-보트 잠수함이었다. 영국의 배들이 무차별 공격을 당하는 동안 U보트는 단 한 대의 손실만 있는 전투의 배경에는 '에니그마'[20]라는 독일의 암호기계가 있었다.

에니그마의 원리는 타자기처럼 생긴 기계의 알파벳 자판을 누르면 자판과 스크램블러[21]에 연결된 전기선을 타고 스크램블러에서 알파벳의 기호를 바꾸어주는데, 이 과정이 3번에 걸쳐 알파벳이 변환된 후 배전판을 통과해 한 번 더 다른 알파벳으로 변환되고 난 뒤 램프 보드에 표시되는 구조이기 때문에 영국의 해군들은 암

---

20) 왼쪽 이미지 출처 : Pixabay
21) 오른쪽 이미지 출처 : Pixabay

호를 전혀 해독할 수 없었다.

앨런 튜링은 모든 악조건을 이겨내고 계산 방법을 이용해서 암호 해독 기계를 만드는 데 성공한다. 컴퓨터라는 단어의 뜻은 1897년 기계적 계산을 수행하는 라틴어 'computàre'에서 유래된 말로 계산하다, 신정하다, 측정한다는 뜻하고 있어서 최초의 컴퓨터를 계산기라고 한다. 이 계산 기계가 '튜링 봄비(봄브)'이고 이 기계를 발전시켜서 1943년 우리가 현재 사용하고 있는 컴퓨터의 시초인 '콜로서스'를 만들게 된다. 하지만 이 컴퓨터는 전쟁 기간에 만들어진 암호 해독 기계이기 때문에 오랜 시간 공개되지 않다가 1976년 영국이 드디어 공개하면서 컴퓨터 역사가 바뀌게 된다. '인공지능'이라는 표현은 1956년 존 매카시가 처음으로 했지만, 그보다 훨씬 이전인 1936년에 튜링기계에 인간의 마음 상태를 넣고 싶어 했다.

약한 인공지능과 강한 인공지능

그렇다면 많은 발전을 해온 지금의 인공지능은 감정과 호기심이 있을까? 이 물음의 해답을 찾기 위해 우리는 인공지능의 종류를 알아봐야 한다.

글을 시작하면서 우리 생활에서 사용하고 있는 지능과 영화 속의 인공지능에 관해 이야기했다. 우리 생활에서 사용하고 있는 인공지능을 약한 인공지능이라 하고, 보통 영화 속의 인공지능을 강한 인공지능이라고 한다. 약한 인공지능은 특정 작업을 완료하는 능력만 갖추고 있다. 다시 말해 입력한 대로 수행을 하는 인공지능이다. 우리가 두려움을 갖는 인공지능은 강한 인공지능으로 이 인공지능에 대해서는 다양한 분야에서 내는 목소리가 다르다. 그래서 인공지능을 대하는 우리는 혼란스럽다.

테슬라에서 손으로 달걀을 움직이는 AI 로봇을 개발해서 선보였다. 자율주행차가 판매될 날이 그리 멀지 않다고 자동차 제조사에서는 발표한다. 일반인들은 이런 상황 등을 보면서 인공지능이 어디까지 발전할 수 있을까 하는 생각이 든다.

인공지능에 윤리를 부여할 수 있을까? 마이클 샌델의 『정의란 무엇인가』에 '철로를 이탈한 전차'에 우리가 알고 있는 '트롤리 딜레마'에 대한 내용이 나온다.

전제 1. "당신은 기관사이다. 브레이크가 고장이 난 전차에 타고 있는데 저 앞에 5명의 인부가 철로에서 작업을 하고 있다. 비상 철로에는 1명의 인부가 일하고 있다. 당신은 어느 철로로 전차를 돌릴 것인가?

전제 2. "당신은 기관사가 아니라, 철로를 바라보며 덩치가 산만한 남자와 나란히 다리 위에 서 있는 구경꾼이다. 저 아래 철로가 들어오고, 철로 끝에 인부 다섯 명이 있다. 덩치 큰 남자를 밀면 남자는 죽겠지만 5명의 인부는 구할 수 있다. 당신은 어떻게 할 것인가?"22)

자율주행 시 윤리적 결정이 필요한 상황에서 인공지능의 선택이 정의로울지 우리는 확신이 없다. 그래서 여전히 찬반 토론이 뜨겁다. 이런 현실을 반영해서 2016년 MIT에서 윤리적 딜레마에 직면한 인공지능의 결정에 대한 사람들의 의견을 수집하고, 일어날 수 있는 문제점들의 시나리오들을 만들고 토론할 수 있는 플랫폼인 '모럴 머신'23) 을 개발했다. 회원 가입 없이 누구나 참여할 수 있

---

22) 마이클 샌델의 『정의란 무엇인가』 37p
23) https://www.moralmachine.net/hl/kr

다.

　13가지의 경우에서 내가 무엇을 선택할지 고민하는 내내 인공지능의 윤리는 곧 인간의 윤리라는 생각이 들었다. 그렇다면 우리는 인공지능에 무엇을 요구해야 윤리적 결정에 조금 더 깊게 다가설 수 있을까? 인공지능에 자신이 내린 결론이나 행동에 관해 설명할 수 있도록 딥러닝 한다면 어떨까?

　인공지능은 우리와 가깝다. 그래서 인공지능 원리와 특징, 문제에 대한 교양을 갖추는 것이 현재를 살아가는 우리에게 꼭 필요한 AI 리터러시 역량이다.

2. 생성형 AI 활용 뉴스 서평 글, 추천하는 글 작성 실습

'책'이라는 단어는 우리는 어떤 느낌이 들게 할까? 한국에서는 2년마다 <국민 독서 실태 조사>를 한다. 아래의 이미지는 2021 독서 실태조사의 성인에 관한 결과를 간단히 정리해 놓은 것이다.

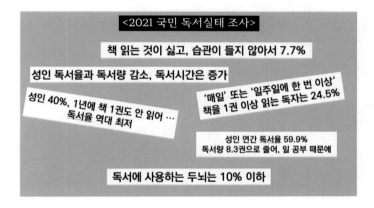

독서 실태 조사를 오랜 시간 관심 있게 본 결과, 해마다 모든 수치가 점점 낮아진다. 학생의 경우는 수치상으로는 그리 낮지 않지만, '독서를 위한 독서'에 해당하는 책의 권수나, 독서에 투자하는 시간은 현저히 낮다. 아이들과 20여 년의 시간을 수업한 경험을 떠올려보면 2012년도의 5학년과 2022년도의 5학년은 이해력과 문해력에서 크게 차이가 났다. 여러 가지 원인이 있겠지만 그중에서 책을 읽지 않게 된 것이 아이들에게 미치는 영향이 컸다. 그나마 다행이라고 생각했던 건 <2015 개정 교육과정> 안에 한 학기 동안 책 한 권을 온전히 읽는 시간이 있다는 것이다. 교과서에 나오는 지문은 전체 내용의 일부분이라서 작품의 맛을 느끼기에는 부족하다. 원작을 읽히고 싶지만 여의찮았던 환경에서 아이들과 학교에서 온전히 읽을 책을 고르는 일은 재미있는 독서 활동의 시작이기도 하다. 다행히도 '한 학기 한 권 읽기'는 교사도 학생도 만족도가 무척 높았다. 하지만 2021년에 발표한 <2022 개정 교육과정>에는 '한 학기 한 권 읽기' 수업 내용이 빠져있어서 무척 아쉽다. 더구나 디지털 사회에서는 누구라도 문해력에서 벗어날 수 없는 상황인데 독서 인구가 더 줄어들 수도 있는 상황이 걱정된다. 독서 인구가 줄어든다는 것은 우리 사회에 독서의 기능의 범위 역시 줄어듦을 의미한다.

 독서의 기능은 무척 중요하다. 그렇다고 무조건 '책을 많이 읽어야 한다!'라고 권유하는 것은 허공에 대고 말하는 것과 같다. 그래서 구체적인 방법이 필요하다. 우리는 그 방법으로 책을 소개하는 북리뷰와 책을 읽고 난 후 작업인 서평을 써보려 한다. 이 방법은 무척 아날로그 하다. 하지만 이 방법은 책을 제대로 읽게 하는 무척 좋은 방법이다. 아래의 자료는 경기연구원의 2022년 연구 자료인 <평생학습 시대 미디어 리터러시 제고 방안>이다. 연구 자료에도 나와 있지만, 디지털 사회에서의 개선 방법으로 텍스트를 읽어야 한다고 제시하고 있다.

□ 아날로그 형식 복원을 통한 미디어 리터러시 개선

○ 지식이 얕고 체계적이지 않은 학습자의 서사(書史, narrative)적 역량을 높이기 위하여 선형 텍스트(linear text)를 읽을 기회를 늘려야 함
  - 서사적 역량은 지식 내용을 연속적이고 일관적으로 이해 및 경험하는 것을 바탕으로 재구성하거나 전달하는 능력임
  - 디지털은 하이퍼텍스트로 이루어져 효율적으로 학습할 수 있는 반면, 시간과 공간이 불연속적이므로 순차적으로 이야기를 경험하지 못하고 끊어지는 서사의 교란이 생겨남
○ 디지털화가 심화할수록 현실의 사건을 주관적으로 재구성하는 상상력과 창의력을 키우기 위한 독서 및 토론이 더욱 요구됨
  - 사람과 기기, 기기와 기기가 네트워크로 이어지는 초연결 사회로 전환될수록 자주성(自主性) 및 자기 통제력은 약화함
  - 기하급수적으로 늘어나는 정보를 처리하는 능력이 제한적이므로 문자를 통한 서사보다 이미지나 영상을 이용하다보면 이성보다 감성이 크게 작동하며, 디지털 공간에서는 발전적 논의와 비판보다 악의적인 공격이 지배적이 됨
○ 대면(面面)과 대화를 통한 소통 경험을 늘려 타고난 감각 능력을 건전하게 활용하는 등 아날로그적 가치를 보존해야 함

　　　　이것만 알면 당신도 디지털 미디어리터러시 지도사

우리가 작업할 북리뷰와 서평, 이 두 작업 모두 '책 선정'이 전제가 된다. 책을 고르는 장소로 가장 좋은 곳은 도서관이다. 도서관에 가서 도서관 분류 번호를 찬찬히 보면서 내가 좋아하는 분야를 찾아본다. 도서관에 가기 전에 집에서 먼저 충분히 살펴보고 가는 방법도 추천한다. 그리고 도서관에 갈 때마다 <신간 코너>는 꼭 둘러보길 권한다. 개인적으로 신간 도서 전시대는 아주 아주 작은 도서관이라 생각한다. 분류장마다 몇 권 안 꽂혀있겠지만 모든 분류 번호를 한눈에 볼 수 있는 좋은 기회가 된다.

또한 요즘은 인터넷 서점도 잘 나와 있다. 인터넷 서점의 장점은 도서 추천 기사가 있어서 책의 정보에 대해서 미리 알 수 있다는 것이다. 추천 기사 쓰는 작업을 위해서는 추천 기사를 많이 보는 것이 큰 도움이 된다. 추천 기사는 학급에서 반 친구들에게 책을 권할 때 주로 활용하지만, 가족끼리의 책 추천은 또 다른 재미가 있다. 한 사람이 1~2권의 책을 추천하고, 모인 구성원들이 투표해서 투표수가 많은 책을 모두 읽기를 한다. 이 방법은 '한 학기 한 권 읽기' 수업에도 적용되었다.

이제 책을 골랐다면 북리뷰와 서평 작성하기를 해보자. 책에 접근하는 방법이 아날로그였다면 책을 골라서 활용하는 방법은 생성형 AI를 이용한 디지털 방법으로 한다. 작업의 효율을 높이기 위해 생성형 AI에 대한 간략히 알아보자.

Open AI에서 개발한 챗Gpt는 2022년 11월 30일에 등장했다. 챗Gpt보다 매끄러운 답을 해 주었던 구글 바드는 2023년 3월 21일에 서비스를 출시했다. 구글의 제미나이(바드)에 한국어가 탑재

되어 있어 훨씬 매끄러운 답을 내놓는다. 전 세계에서 구글보다 점유율이 높은 검색엔진을 가진 유일한 나라가 한국이었기 때문이다. 전 세계 93%가 이용하는 최대 검색엔진 회사에서 만든 생성형 AI인 제미나이는 출발점이 다를 수밖에 없다. 많은 구글 사용자들이 궁금증을 해결하기 위해 홈페이지에 질문을 던지면 답이 될 만한 다른 사이트를 연결해주는 운영 방식은 사용자들의 데이터를 모두 확보할 수 있는 시스템이다.

언어모델 기반인 생성형 AI(챗봇)는 오픈AI에서 만든 챗GPT(ChatGPT), 구글에서 만든 제미나이(Gemini), 메타[24]에서 만든 라마(L LAMA), 네이버의 네이버 클로바 X, 카카오톡의 오픈AI의 챗GPT인 Askup(아숙업) 등 종류가 다양하다. 모든 애플리케이션은 검색창에 한글로 입력하면 연결되는 사이트를 보여준다. 각각의 사이트, 애플리케이션에 접속해서 나의 궁금증을 물어보면 인공지능이 답을 해 준다. AI 중 대화하는 인공지능을 챗봇[25]이라고 부른다. 다양한 생성형 AI를 사용해보고 나에게 맞는 모델을 선택하면 된다. 다른 생성형 AI보다 비교적 폭넓은 정보 정보를 알려주는 '제미나이'와 접근이 쉬운 카카오톡의 'AskUp'이라서 이 두 개로 작업해본다. 'AskUp'은 아래 이미지처럼 친구 찾기에서 간단히 찾을 수 있고 텍스트와 이미지 작업이 모두 가능한 인공지능이다.

제미나이는 홈페이지에 접속하고 회원가입을 하고 나면 빨간 상자 안에 명령어를 입력하면 생성형 AI가 성실하게 답해준다. 이 작업을 '프롬프트'라고 하는데 인공지능 시대에 꼭 필요한 능력이다. 내가 입력하는 글을 바탕으로 정보를 주기 때문에 구체적인 질문은 내가 정보를 얻는 데 많은 도움이 된다. 그래

---

24) 인스타그램, 페이스북의 모회사
25) chatter(수다를 떨다)와 robot(로봇)의 합성어

서 내가 북리뷰를 쓸 건지, 서평을 쓸 건지 구분해서 입력하고 정보를 얻어야 한다.

위에서도 잠깐 언급했지만, 북리뷰와 서평의 가장 큰 차이점은 책의 소개와 비평이다. 하지만 전체적인 구성 요소의 차이는 크지 않다. 둘 다 책의 내용을 요약, 발췌한 내용, 책 읽을 때 자신의 경험, 저자와 책의 소개, 필자의 해석이나 관점으로 진행된다. 책 읽을 때의 경험에 조금 더 중점을 두었다면 북리뷰가 되고, 필자의 해석이나 관점에 대해 중점을 실었다면 서평이 된다. 다른 사람의 서평은 나에게 또 하나의 독서가 된다. 문화체육관광부 홈페이지에서 문화광장을 클릭하면 매월 사서 추천 도서를 볼 수 있다. 다양한 분야의 책을 소개해줘서 유용하게 잘 이용할 수 있다. 또한 국회 도서관 홈페이지에서 책 이야기 클릭하면 서평과 신간을 볼 수 있다. 서평은 메일링 서비스도 가능해서 시간이 없을 때는 메일로 보내주는 서평을 읽는 그것만으로도 책을 고르거나 읽고 싶은 책의 내용이 궁금할 때 정보를 얻기 좋다. 국회 도서관의 서평이 좋은 또 하나의 이유는 서평을 쓰는 분들이 각 분야의 전문가이기 때문에 디지털 시대에 양질의 정보를 얻을 수 있다는 점이다.

이렇게 얻은 정보를 바탕으로 각자가 좋아하는 도서를 가지고 생성형 AI는 북리뷰에 쓸 내용과 서평에 쓸 내용을 어떻게 다르게 보여주는지 정보를 얻으면 된다. 생성형 AI의 답이 모두 사실과 다를 수 있어서 정보와 비교 점검을 해야 한다.

이제 생성형 AI로 작업을 시작해 보자.

질문은 빨간 테두리로 표시한 곳에 입력한 후 삼각형 모양을 누르거나 엔터키를 누르면 된다.

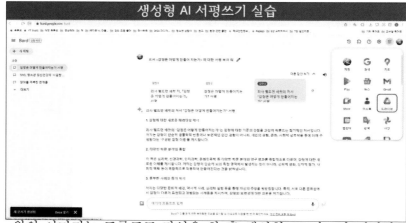

위의 이미지는 프롬프트 작업을 한 후 생성형 AI 바드가 생성한 글이다. 화면에서 다른 글 보기를 누르면 3가지 유형의 글이 보인다. 이 중에 하나를 선택해서 글을 다듬어서 서평을 써도 좋지만 나는 3가지 유형의 글을 모두 다 저장해 놓은 후 각각의 좋은 점을 골라내서 하나의 글로 다시 작성하는 것을 추천한다. 저장은 구글 독스(구글 문서 Docs)로 되기 때문에 구글 드라이브에서 확인할 수 있다.

이렇게 작성한 글을 바탕으로 지난 시간에 배웠던 캔바를 이용해 카드 뉴스나 영상을 만든다. 그리고 다음 시간에 배울 편집 기술을 배운 후 만들어 둔 작품을 편집해서 완성하면 된다.

3. 캡컷 활용 북트레일러 영상 제작

북트레일러는 'book'과 'trailer'의 합성어로, 책의 내용을 짧은 동영상으로 표현한 것을 말한다. 영화 예고편처럼 책의 내용을 간략하게 소개하며 독자의 관심을 끌어 책에 대한 판매를 촉진하는 마케팅 툴로 사용되고 있다.

캡컷(CapCut)은 비디오 편집을 위한 모바일 애플리케이션이다. 사용자 친화적인 인터페이스와 다양한 효과 및 템플릿을 제공하며, 비디오 클립을 자르거나 합치는 기본적인 편집 기능부터 텍스트, 스티커 추가, 음악 및 사운드 이펙트 적용, 필터 및 효과 사용 등 다양한 기능을 제공한다.

캡컷을 활용한 북트레일러 영상 제작 순서는 '스토리보드 작성 → 소재 준비 → 캡컷으로 영상제작 → 편집 및 효과 추가 → 영상 내보내기 및 공유'다.

스토리보드란 영상을 어떻게 제작할지를 구체적으로 표현한 글이다. 영상은 시각 매체이므로 장면을 그림으로 그려보는 것이 유용하며 스토리보드를 작성하면 각 장면에서 필요한 것들을 미리 준비할 수 있다. 스토리보드를 간략하게 작성했다면 캡컷을 실행해서 영상을 제작한다.

① 구글 플레이 스토어에서 한글로 캡컷을 검색하면 로고가 보일 것이다. 그걸 설치하고 설치가 끝나면 열기를 누른다.
② 캡컷을 실행하면 아래쪽 [편집] 탭에서 새 프로젝트의 + 마크를 누른다. (밑에 영상은 그전에 만든 영상이 있다면 보이는 것이다.)
③ 좌측 상단에 [라이브러리 동영상]을 선택하고 아래쪽에 나오는 여러 사진과 영상을 선택하면 된다. 원하는 이미지와 영상을 좀 더 쉽게 찾기 위해서는 돋보기 아이콘에 키워드를 쓰고 검색한다.

④ 사진과 영상을 선택했다면 아래 추가 버튼을 누른다.
⑤ 선택한 사진으로 영상이 만들어진 것이 보일 것이다.
⑥ 아래 메뉴 중 세 번째 있는 [텍스트]를 선택해서 [텍스트 추가]를 클릭한다.

⑦ 글씨를 입력하면 텍스트를 편집할 수 있는 화면이 보인다. [글꼴]을 선택하면 글꼴을, [스타일]을 선택하면 텍스트의 스타일을 변경할 수 있다.

⑧ [애니메이션]을 선택하고 효과를 선택한다.

⑨ [편집효과]를 누르고 다양한 효과를 준다.

이것만 알면 당신도 디지털 미디어리터러시 지도사

⑩ 하단의 [스티커]를 누르면 다양한 스티커를 삽입 할 수 있다.

⑪ [오디오 추가] 또는 하단의 [오디오]를 눌러보자.

⑫ 배경음악을 넣으려면 [사운드]를 선택한다. (옆에 있는 마이크 모양 아이콘 녹음을 선택하면 나레이션을 직접 넣을 수 있다.)
⑬ TikTok에서 제공하는 음악을 선택해서 들어본다.
⑭ 마음에 드는 음악을 골랐다면 다운받아서 +를 눌러 삽입한다.

⑮ 배경음악이 적용되어 들어온 것이 보인다. 영상보다 음악이 길면 마지막 부분에 하얀 바를 위치시켜 놓고 음악을 선택한 상태에서 아래 메뉴 중 분할 버튼을 누르면 2개로 나뉜다.

⑯ 분할된 뒷부분을 선택해서 삭제하면 영상까지만 음악이 재생된다.

⑰ 사진과 사진 사이에 | 마크가 있다. 장면과 장면이 넘어가는 경계인데 아무런 효과 없이 영상을 만들어도 되지만 |를 누르면 장면전환 효과를 넣을 수 있다. 장면전환 효과를 넣으면 영상이 훨씬 역동적으로 보인다. 맘에 드는 효과를 선택한다.

⑱ 장면전환 효과까지 다 넣었다면 이제 저장하면 된다. 제일 위 오른쪽에 ↑버튼이 내보내기로 저장에 해당한다.

⑲ [장치에 저장]을 클릭하면 내보내는 중... 이라는 글씨가 보인다.

⑳ 내보내기가 끝나면 '공유 준비 완료' 메시지와 함께 밑에 sns 아이콘 버튼을 눌러 바로 공유할 수 있다. 영상은 내 스마트폰의 갤러리와 캡컷에 자동으로 저장되고 언제든지 불러 편집할 수 있다.

　캡컷 편집에서 많은 수강생분들이 가장 헷갈려 하는 부분이 바로 이 부분이다. 마지막으로 아래 화면을 보고 다시 한번 편집 기본 순서를 기억하자.

○ 1. [타임라인]에서 에셋(이미지/영상/텍스트/음악 등) 선택 및 기준선을 옮긴다.
○ 2. 맨 아래쪽에서 각종 원하는 [메뉴 선택]을 한다.
○ 3. [미리보기 화면]으로 확인하면서 편집한다.

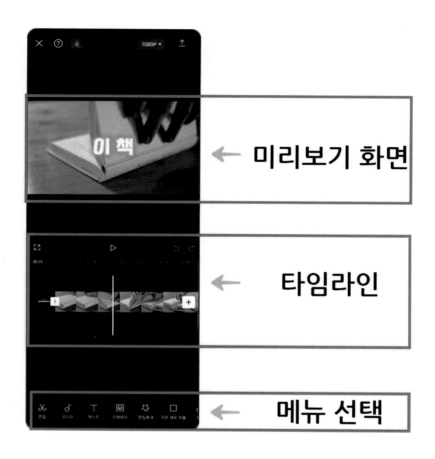

이렇게 완성한 영상은 강사에게 보내 다 같이 보면서 피드백해주면 된다. 수강생은 직접 북트레일러 영상을 제작해 봄으로써 미디어 콘텐츠 생산자로 디지털 기술과 창의성을 결합하여 새로운 콘텐츠를 만드는 방법을 추가로 배울 수 있다.

4. 뉴스와 알고리즘 리터러시

리터러시는 디지털 미디어의 환경 속에 있는 우리가 꼭 알아야 하는 덕목이기 때문에 미디어와 결합 되어 사용하고 있다. 예를 들어보면, 컴퓨터 리터러시, 시청각 리터러시, 정보 리터러시, 뉴스 리터러시, 미디어 리터러시, 디지털 리터러시, 멀티미디어 리터러시, 미디어· 정보 리터러시 등 다양하다.26) 이 중에서 무엇이 가장 중요한지는 정하기 어렵다. 하지만 어느 시대를 막론하고 '뉴스' 즉 새로운 정보를 접하는 일은 무척 중요하다. 고대부터 지금까지 정보는 늘 중요한 위치를 차지해왔다. 하지만 디지털 사회에서의 뉴스는 예전만큼의 독점력이나 정확성을 갖고 있다고 보기 힘들다. 매체의 발달로 인해 뉴스의 형태 또한 많이 달라졌기 때문이다. 뉴스를 접하던 매체가 라디오·TV에서 컴퓨터로, 스마트폰으로 바뀌면서 정보를 일방적으로 받아들이던 시대에서 정보를 받아들이기도, 생산하기도 하는 환경으로 바뀌었다.

디지털 미디어 시대의 뉴스는 어떤 특성이 있을까? 특성을 이해하기 위해 전통 미디어의 하나인 종이 신문의 변화를 보면, 1996년에는 모집단의 85.2%가 하루 43.5분 신문을 읽었고, 2022년에는 9.7%가 하루 3.3분으로 이용률이 급락했다. 이용률이 급락한 이유는 세대에 맞게 종이 신문의 기능이나 형태를 바꿀 수가 없어서였다고 생각한다.27)

---

26) <저널리즘과 미디어·정보 리터러시> 한국언론진흥재단
27) 2022 한국언론진흥재단 언론수용자 종이신문 열독률과 열독 시간

21세기에 등장한 디지털 환경은 새로운 뉴스의 특성을 만든다. 바로 다매체이다. 다매체 시대의 뉴스는 예전의 시스템인 신문사, 방송, 인터넷이 뉴스가 각각의 뉴스를 만드는 시스템 속에서 생산되는 방식과 다르게 이 모든 시스템이 하나로 합쳐진 시스템 속에서 뉴스가 생산된다. 이렇게 생산된 뉴스는 일반적인 대중보다는 목적에 따라 뉴스가 전달되는 대상이 달라진다. 그래서 어느 한 사안에 대한 객관성을 유지하기 어렵다는 특성이 있다.

또 다른 특성은 뉴스의 기사에 추가 정보에 대한 다양한 링크를 제공하는 형식의 뉴스라는 점이다. 이런 형식은 사건의 진위나 정보의 중요도를 기자의 고유 영역으로 가져갈 수 없고 뉴스 이용자의 피드백이 가능한 공간을 만듦으로써 뉴스를 만드는 주체가 누구인지 정확하게 파악하기 어려워 혼란스럽다. 이런 혼란은 다양한 문제를 만들어냈다.

또 다른 문제로는 바쁜 시간을 쪼개서 정보를 얻는 이용자들에게 혼란을 주는 '기사형 광고'이다. 기사형 광고는 정보인 줄 알고 접근했다가 광고라는 걸 나중에 알게 되는데 이러한 경험은 뉴스에 대한 신뢰를 더 떨어뜨리고, 다음에 비슷한 기사를 볼 때 기사인지, 광고인지 구분해야 하는 혼란을 더 가중한다. 이런 이유가 더해져 조사인구 중 3명 중 2명은 뉴스를 회피하는 경험을 했다는 통계가 있다. 2017년에는 52% 정도였던 수치가 5년 후인 2022년에는 67%로 증가했다.

회피의 이유가 '뉴스를 신뢰할 수 없거나 편향적'이라는 대답은 우리에게 뉴스를 볼 때 어떤 자세로 봐야 하는지 생각하게 한다. 미국의 경우에는 이러한 환경에서 신문이나 기사나 방송에서 뉴스와 선전, 뉴스와 의견, 공정과 편견, 주장과 확인, 실증과 추론의 개념을 구분해내기 위한 교육을 위해 '뉴스 리터러시 센터'를 만들었다. 우리나라에는 '한국언론진흥재단'에서 이와 같은 일을 한다.

뉴스 리터러시란 무엇일까? 미국의 '뉴스 리터러시 센터'를 소개하면서 잠깐 언급했지만, 뉴스 리터러시의 다양한 정의 중에서 지금 우리의 현실에 필요한 내용을 인용하자면 '뉴스에 관심을 두고 다양한 뉴스를 비판적으로 해석하고 평가하고 참여하여, 의미 있는 뉴스를 선별하고 재맥락화하여 스스로 이해하고, 다른 이들에게 공유할 수 있는 능력'[28]이다.

뉴스 리터러시 역량이 한국의 현실에서 꼭 필요한 이유는 2023년 언론수용자 조사에 따르면 인터넷 포털(PC+모바일)로 뉴스를 이용하는 사람의 분포가 69.6%로 다른 나라에 비해서 높다. 검색을 중심으로 한 포털은 등장 초기에는 언론 기사를 단순하게 소개하는 역할만 했는데 시간이 흐르면서 포털은 우리나라 뉴스 유통의 중심 역할을 넘어서 독과점의 문제가 있다는 논란의 대상이 되었기 때문에 인터넷 포털을 통해 뉴스를 접하는 방식은 반드시 뉴스 리터러시 역량을 갖추어야 한다. 포털은 다양한 매체 중에서 스스로 언론이 아니라고 주장하는데 언론의 의미가 '매체를 통하여 어떤 사실을 밝혀 알리거나 어떤 문제에 대하여 여론을 형성하는 활동'을 의미하고 있다면 포털은 언론의 범주에 속한다.

이유는 2016년 10월, 가장 많은 이용자를 보유한 네이버가 청탁 때문에 메인 기사를 삭제해 여론을 조작한 사건이 발각되었기 때문이다. 여론의 조작은 여론의 형성과 같은 말로 포털이 언론사의 기사를 단순 소개만 해주는 역할만 한다는 사실이 거짓임을 확인한 셈이다. 이 사건 이후 포털은 AI 알고리즘에 의해서만 뉴스 배

---

28) 출처 : 이숙정·양정애(2017). 뉴스 리터러시가 의사소통 역량과 공동체 역량에 미치는 영향

열을 하겠다고 발표했다. 네이버는 2018년 4월 4일 수동 뉴스 편집을 종료했다.

6년이 지난 지금 포털은 뉴스 이용자에게 공정한 배열을 보여주고 있을까? 공정한 배열을 하겠다던 포털은 AI 알고리즘에 의해 이용자에게 '맞춤형' 배열한다. 한국언론진흥재단 미디어센터 온라인 설문조사(2019년)에 따르면 개인 맞춤형으로 자동으로 배열하고 있음을 아는 질문에 53.7%가 '알고 있다'라고 대답했다.

하지만 AI 알고리즘이 어떠한 방식을 통해서 개인에게 맞춤형 뉴스를 제공하는지는 알 수 없다. 알고리즘은 우리가 눈으로 볼 수 없기 때문이다. AI 알고리즘 뉴스 배열의 또 다른 문제는 '맞춤형'인데 쇼핑이나 문화의 영역에서는 AI 알고리즘의 추천은 고민의 시간을 단축해 주는 고마운 존재지만 뉴스에서는 다르다. 뉴스의 존재 이유는 우리가 민주주의 사회의 구성원으로서 나와 다른 사람의 의견을 듣고, 이견을 조율하고, 합의에 이르는 과정을 볼 수 있는 하나의 공간을 제공하는 데 있다. 하지만 AI 알고리즘 뉴스 배열은 그런 공간의 의미를 희미하게 만든다.

당연하게 우리가 작동방식을 알지 못하는 AI 알고리즘 뉴스 배열의 다양성, 객관성, 공정성, 신뢰성에 대해 선뜻 긍정적이라고 답하기 어렵기 때문이다. 다행히도 이런 어려움을 조금이라도 해결하기 위해 한국언론진흥재단에서 <뉴스 알고>라는 프로그램을 만들어서 누구나 체험할 수 있게 제공하고 있다. <뉴스 알고>는 미디어를 누가 만들고 이용하는지, 뉴스 배열 알고리즘이 무엇인지, 뉴스 배열 적용과정이 어떻게 되는지, 적용 결과에 대해 생각해보고 나의 뉴스를 만들어보는 과정을 통해 알고리즘 리터러시와 뉴스 리터러시를 동시에 체험할 수 있는 프로그램으로 내가 개인으로 체험해 볼 수도 있지만, 사이트에서 신청하면 수업도 받을 수 있으니 꼭 체험해보길 바란다.

 알고리즘 블랙박스라는 별명을 가지고 있는 한국의 포털은 AI 알고리즘 뉴스 배열의 투명성에 대해서 적극적으로 홍보하는 중이다. 뉴스 소비자로서는 정확성에 대해서 짚어봐야 할 것이다. 이렇게 디지털 환경에서 뉴스의 생산자와 소비자 모두는 뉴스 리터러시의 역량과 알고리즘 리터러시의 역량 모두가 필요하다.

5. 뉴스 제목에 낚여본 적 있다?!, 뉴스 소비 심리

　낚시의 역할을 하는 기사의 제목을 보는 일은 일상의 다반사가
아닐까 싶다. 다양한 웹브라우저 중 익스플로러 엣지의 경우 첫 화
면에 보이는 콘텐츠들을 보면 낚시성 기사가 대부분이라서 화면을
보는 것만으로도 피곤해서 개인적으로 콘텐츠 끄기를 해놓고 사용
한다.

　위의 두 개의 이미지를 같이 보면 바로 비교가 되는데 콘텐츠 끄
기 기능이 있어서 다행이라고 생각한다. 만약 이 기능이 없었으면
이 브라우저를 사용했을까 싶을 정도다. 한국언론진흥재단의
'2023 언론수용자 조사'에서 한국 언론의 가장 큰 문제점은 낚시
성 기사라는 결과가 나왔다. 2위가 편파적 기사인데 편파적 기사
보다 더 큰 문제점으로 보고 있다는 현실이 씁쓸했다. 위의 통계는
한국만의 문제는 아닌가 보다. 2016년 옥스퍼드 사전에 클릭베이
트(Clickbait)라는 새로운 단어가 등록되었는데 이 단어는'클릭
(Click)'과 '미끼(Bait)'의 합성어로 인터넷에서 자극적인 제목이나
이미지 등을 사용해 가치가 떨어지는 콘텐츠의 클릭을 유도하는

행위 즉 '낚시성 기사'라는 의미의 단어다.

곰곰이 생각해보면 뉴스가 생긴 이래 기사의 내용보다 과한 표현을 담고 있는 기사 제목이 지금 등장한 건 아닐 텐데 왜 이렇게까지 문제가 되는 것일까? 답은 디지털 미디어와 온라인 플랫폼의 확산에서 찾을 수 있다. 더하여 뉴스의 유통체계 변화도 빼놓을 수 없는 이유다.

신문을 보는 매체가 종이에서 온라인으로 바뀌었다. 그리고 뉴스의 유통체계가 바뀌었다. 기존의 신문은 언론사에서 각 지역으로 유통하는 방식인데, 온라인 뉴스는 각 언론사가 주요 포털의 개방형 뉴스플랫폼에 제공하는 형식이거나 언론사 홈페이지에 올리는 형태인데 후자의 경우는 거의 접속자가 없어서 큰 의미가 없는 형식이다. 가입자 수가 많은 포털의 개방형 뉴스플랫폼에서 언론사는 이용자의 눈에 띄기 위해 치열한 경쟁이 벌어진다. 경쟁의 방법은 다양하지만, 대다수 언론이 선택한 방법은 공정하지도 않고, 온라인 이용자를 배려하지도 않은 '클릭베이트'이다.

기사 제목에는 분명한 기능이 있다. 한국편집기자협회에서 기능을 4가지로 정리했다.
첫째, 기사의 전체 내용을 효과적으로 함축한 정보 전달
둘째, 제목을 통해 무슨 내용이 실려있는 지를 독자가 파악하도록 주의를 끄는 역할인 광고
셋째, 기사를 취사선택함으로써 부여되는 뉴스 가치 평가
넷째, 지면을 보기 좋게 꾸미는 지면 미화 기능 이렇게 4가지를 기사 제목의 기능이라고 했다.

위의 기능을 살펴보니 기사 제목만 보고 기사의 내용을 짐작할 수 있는 건 당연한 일이었다. 하지만 디지털 시대의 뉴스 기사 제

목은 이 기능을 지키지 않는다. 더불어 뉴스의 소비 형태도 많이 달라졌다. 디지털 환경에서 인터넷이나 모바일로 뉴스를 보는 매체는 이동했는데 기사를 보는 시간은 줄어들었다. 이는 기사의 내용 전체를 읽기보다는 제목 위주로 기사를 클릭하고 간단하게 내용을 훑어본다는 것을 짐작할 수 있다. 이러한 현상은 언론사들이 기사 제목을 정할 때 선정적이고 자극적인 단어와 궁금증을 유발하는 말 줄임표, 감탄사 등을 사용해서 관심을 끌도록 하는 여러 가지 이유 중 하나이다.

낚시성 기사 제목의 문제점은 크게 두 가지 측면에서 불쾌감을 준다는 것이다.
첫 번째는 **선정성**이다. 이럴 경우는 기사 제목을 보는 것만으로도 불쾌감을 느끼기 때문에 내가 기사를 읽지 않으면 그만이다. 그런데도 기사 제목은 얼마간은 뇌의 잔상에 남아있기 때문에 꽤 오랜 시간 불쾌감이 유지된다.
그리고 두 번째는 **기만성**이다. 기만은 '미끼를 던져 유인하는 간교한 행위나 속임수'[29]라고 정의되어 있는데 낚시성 기사 제목이 그렇다. 예를 들어 낚시성 기사인지 몰랐는데 기사를 읽는 도중에 제목과 상관없는 내용인 걸 알게 되었거나, 공익적인 기사인 줄 알았는데 그렇지 않았을 경우 속았다는 생각과 함께 느끼는 감정은 불쾌감보다 훨씬 나쁜 감정이 들기 때문에 선정성 기사 제목보다 훨씬 심각하다.

2020년에 낚시성 기사를 경험에 대한 설문에서 90%가 그렇다고 대답했을 정도로 이는 심각한 문제이다. 뉴스도 상품이다. 소비자 심리학에서 상품을 선택할 때 최대한 합리적 선택을 하기 위해 고민하지만 때로는 개인의 경험이나 직관적인 사고로 선택하기도 한

---

29) 네이버 지식백과

이것만 알면 당신도 디지털 미디어리터러시 지도사

다. 이렇게 선택한 결과가 좋지 않을 때 대개는 이 상품을 다시 선택하지 않는다. 이런 심리와 디지털 환경의 세태가 반영되었는지 2023 언론수용자 조사에서 전 매체에 걸쳐서 뉴스 이용률이 하락했다. 인터넷 포털을 통한 뉴스 이용은 2017년 이후 처음으로 70% 이하를 기록했다.

 이 데이터는 두 가지 사실을 반영한다. 온라인 뉴스의 환경이 점점 나빠지고 있음에도 여전히 많은 사람이 이용하고 있다는 사실과 절대 움직이지 않을 것 같은 포털 뉴스 이용자들이 떠나고 있다는 점이다. 뉴스 이용자들의 또 다른 소비 형태는 SNS를 통해 활발한 공유를 통해 확산하고 재생산한다는 것이다. 포털 뉴스와 또 다른 뉴스플랫폼의 역할을 한다. 하지만 포털 뉴스의 플랫폼과는 다르게 대한민국의 SNS는 다른 나라와 비교했을 때 그 결속력이 강력하다. 실시간으로 텍스트, 사진, 동영상, 음성 메시지 등을 교환할 수 있는 플랫폼인 카카오톡과 네이버 라인을 소셜미디어 즉 SNS가 흡수했기 때문에 아는 사람들의 연결고리로 이루어져 있다는 특징이 있기 때문이다. 그래서 SNS를 통한 뉴스의 공유는 확산과 재생산이 빠르다는 특징이 있다. 그래서 SNS의 사용자인 우리는 어쩌면 지금 이 시각에도 저널리스트의 역할을 하고 있을 수도 있다.

 뉴스 기사의 가치는 시의성, 저명성, 흥미성, 영향성, 근접성, 갈등성, 감동성 등 다양하다. 내가 누군가에게 정보를 전달할 때는 뉴스의 7가지 가치를 모두 전달할 수는 없지만 이런 가치가 있는 정도는 인지하고 있어야 할 것 같다.

6. 뉴스 읽지만 말고 일기로 쓰자

뉴스를 제대로 읽기 위해서는 '리터러시'가 필요하다. 리터러시는 문자화된 기록물을 통해 지식과 정보를 획득하고 이해할 수 있는 능력을 말하는데 이 문장에서의 능력은 단지 언어를 읽고 쓰는 능력이 아니라 변화하는 사회에서 적응하고 대처하는 것을 말한다.[30] 그러려면 우리는 정보를 취하는 방법을 제대로 알아야 하고, 그 방법은 바로 좋은 정보와 나쁜 정보를 구분하는 방법을 아는 것이다. 이를 위해 우리는 앞 장에서 뉴스와 알고리즘, 낚시성 기사 제목과 뉴스 소비 심리 등 뉴스의 다양한 측면을 살펴보았다.

위의 정보를 바탕으로 기사를 고르고 난 후 제대로 읽어보자. 좋은 기사를 선택해서 제대로 읽다 보면 언어의 다양한 특성과 기능을 볼 수 있다. 언어의 특성인 기호성, 자의성, 사회성, 역사성, 규칙성, 창조성과 언어의 기능인 정보적 기능, 정서적 기능, 친교적 기능, 명령적 기능, 미적 기능을 찾아봄으로써 우리의 언어를 더 잘 이해하게 된다. 물론 언어의 모든 특성과 모든 기능을 기사를 읽는다고 다 배울 수 있는 것은 아니지만 언어에 대한 이해의 폭은 넓어질 수 있고, 이는 우리가 정보를 획득하고 활용하는 데 큰 도움이 된다.

하지만 신문 읽기 습관이 들지 않았다면 나의 의지만으로 기사를 제대로 읽기는 쉽지 않다.

---

30) 네이버 Basic 고교생을 위한 국어 용어사전

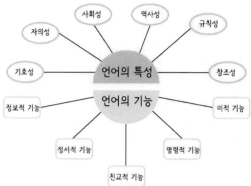

이럴 때 도움받을 수 있는 좋은 활동이 있다. 바로 <뉴스 읽기, 뉴스 일기>라는 캠페인으로 한국언론진흥재단에서 진행하는 프로그램이다. 이 캠페인은 뉴스의 분별력 있는 이용과 책임 있는 활용, 올바른 뉴스 이용 습관을 알린다는 우리에게 꼭 필요한 취지를 가지고 있다. 2019년 1회로 시작해 현재까지 진행되고 있는 의미 있는 프로그램이다.

신문을 선택할 때 리터러시의 역량을 높이려면 온라인 뉴스보다는 종이 신문을 추천한다. 기사를 읽는 도중에 생소한 단어나 뜻이 정확하지 않은 단어가 있을 때 사전을 찾아서 의미 파악하기를 권한다. 아는 것 같은 것과 아는 것은 다르므로 우리가 문장을 이해할 때 반드시 짚고 넘어가야 하는 부분이다. 가끔은 전문 분야의 기사를 읽을 때는 단어의 뜻을 찾았음에도 문장이 이해되지 않을 때가 있다. 이럴 때는 우리가 서평을 쓰기 위해 배웠던 도서 선택 순서에 의해서 책 고르기로 해서 해결해야 한다. 이런 과정은 우리가 문해력을 높이기 위해 독서를 하는 방법보다 훨씬 깊이 읽기를 하는 셈이다.

　위의 캠페인에 참가하기 위해서는 <뉴스 읽기 뉴스 일기>를 검색하거나 인터넷 주소 www.뉴스읽기뉴스일기.org를 입력하면 된다. 접속 시 회원가입은 따로 하지 않아도 된다. 보이는 것처럼 첫 화면에 모든 궁금증을 해결할 수 있을 정도로 배너가 보기 좋게 배치가 되어있다.

　일기장은 따로 신청해야 한다. 온라인 일기장을 신청한 사람에게 문자로 일기 쓰기에 대한 일정 관리를 해줘서 도움이 된다. 일기 쓰기는 8세 이상부터 참가할 수 있고 개인과 단체로 접수할 수 있는데 예를 들어 1명이 30편을 쓰면 개인 자격이고, 1권을 30명이 각 1개의 일기를 써서 채우면 단체의 자격이 주어진다. 1명 이상이면 단체로 접수해야 한다. 모두 최소 30편 이상의 일기를 작성해야 하니 작성 요령이 궁금하다면 홈페이지 가장 오른쪽에 있는 수상작 갤러리를 보면 큰 도움이 된다. 뉴스에 대한 캠페인인 만큼 출처와 저작권, 초상권은 철저히 지켜야 한다.

이 캠페인을 통해서 우리는 많은 것들을 얻을 수 있다. 우선 신문을 읽고 기사를 고르는 것만으로 정보 리터러시에 대한 교육이 가능하다. 정보에서 필요한 부분을 확인하는 능력, 효과적으로 정보를 검색, 평가, 활용하는 능력을 기를 수 있기 때문이다. 그리고 신문을 읽고 비평할 수 있는 미디어 교육의 역할도 가능하다. 이는 미디어 리터러시로 확장되고, 최종적으로 신문 기사에 대한 나의 의견과 더 나은 세상에 대한 고민은 개인이 공공 문화 전반의 수준을 향상하게 시킬 수 있는 미디어 문화를 만드는 구성원이 된다는 것을 배울 좋은 기회가 된다.[31]

이런 이유로 나이에 상관없이 가정이나 학교라는 영역에 상관없이 누구나 참여해볼 만한 프로그램이다.

---

31) 언론진흥재단 <저널리즘과 미디어·정보 리터러시>

7. 광고 리터러시, 광고의 역사와 하는 일

광고는 우리가 상품이나 서비스를 알게 되는 데 결정적인 역할을 하는 요소이다. 그 역사는 고대 시대로 거슬러 올라가며, 고대 이집트와 로마에서도 상품이나 서비스를 알리는 간단한 광고가 존재했다. 그러나 이처럼 현대적인 의미의 광고는 19세기 산업혁명 이후에 상품을 대량으로 생산할 수 있게 되면서 본격적으로 등장했다.

20세기에는 라디오와 텔레비전 등의 미디어의 발전과 함께 광고도 다양한 형태로 발전했다. 그리고 마케팅 연구의 발전으로 소비자의 심리를 이해하고 이를 반영한 광고 전략이 등장했고, 현재는 디지털 기술의 발전과 인터넷의 보급으로 인해 온라인 광고가 중요한 위치를 차지하게 됐다.

광고는 브랜드와 상품의 인지도를 높이는 역할을 하며, 소비자에게 필요한 정보를 제공하고, 구매를 유도하는 등의 역할을 수행하고 있다. 광고는 우리가 어떤 상품을 알게 되고, 그 상품에 대한 인상을 형성하게 하는 데 중요한 역할을 한다. 또한, 광고는 상품에 대한 다양한 정보를 제공하며, 이를 통해 우리가 최적의 선택을 할 수 있게 돕는다. 그리고 광고는 우리의 욕구를 자극하고, 그 욕구를 충족시킬 수 있는 상품을 제시함으로써 구매를 유도한다.

이렇게 광고는 상품과 서비스의 효과적인 유통을 가능하게 하는 동시에, 우리의 소비 패턴에 영향을 미치는 중요한 역할을 수행하고 있다.

인터넷에 접속하여 무언가 검색하면 다른 사이트에서도 검색했던 것이 같이 보인다. 마치 나를 따라다니는 스토커처럼 말이다. 앞에서 유튜브 저널리즘에 관한 글에서 유튜브 알고리즘을 이야기했다. AI에 의해 관련성이 높은 것들을 추천해서 영상을 보여주는 것이다. 이것은 유튜브만 해당하는 것이 아니다. 여성옷을 쇼핑하면 같은 내용이 전혀 상관없는 사이트에서 배너 광고로 내게 보인다. 보고 싶지 않더라도 계속 보게 된다. 누군가 나를 지켜보고 있는 느낌이다.

광고는 필요하다. 광고를 하지 않으면 원하는 것에 관한 정보를 얻기 어렵다. 광고와 온라인은 너무도 밀접한 시대가 되었다. 내가 사는 지역의 필요한 정보도 지역신문이나 지역상권 소개 책자에서보다 스마트폰으로 검색한다. 쇼핑, 배달도 스마트폰 앱 하나면 모두 해결된다. 이렇게 적극적으로 내가 찾는 것은 광고가 필요 없을 수 있다. 하지만 우리의 일상은 나도 모르게 광고에 노출되어 있다. 앞장에서 소개되었던 영상 앱들도 닫기와 건너뛰기를 하지만 그 화면들도 광고다. 미리캔버스에 올라와 있는 많은 샘플 이미지들도 역시 광고다. 영화나 드라마도 시작 전에 광고를 보여주고 PPL이라 불리는 간접광고로 중간중간 제품 광고가 들어간다.

PPL이란 product placement의 약자로 특정 기업의 협찬을 대가로 영화나 드라마에서 해당 기업의 상품이나 브랜드 이미지를 소도구로 끼워넣는 광고기법을 말한다. 초기의 PPL은 영화 제작 시 소품담당자(Prop Men)가 영화에 사용할 소품(Property)들을 배치하는 업무를 가리키는 말이었다. 1970년대 이전만 해도 영화의 소품을 구하는 데 어려움이 따랐고, 제품의 협찬을 요구해도 기업들로부터 거절당하는 경우가 많았다. 또한 이 당시에는 협찬된 제품이 단순한 소품으로만 활용되었을뿐 브랜드 노출을 꾀하려는 작업은 이루어지지 않았다. 32)

국내 방송의 PPL 준수 규정

정의	방송 프로그램 안에서 상품을 소품으로 활용해 그 상품을 노출시키는 형태의 광고
대상	방송법상 오락·교양 분야(어린이 대상·보도 프로그램 제외)
크기	화면의 4분의 1 이내
시간	해당 방송 프로그램 시간의 100분의 5 이내
고지의무	해당 프로그램 방송 전에 자막으로 고지
제한사항	해당 상품의 언급, 구매·이용 권유 금지

PPL에 관한 국내 방송 준수 규정도 있다. 제한사항에 해당 상품의 언급, 구매.이용 권유 금지로 되어있는데 요즘은 이 제한사항도 명확히 지켜지지 않는다. 단순히 출연자가 해당 제품을 사용하는 장면처리로 그쳤던 과거와 달리 대사도 들어간다. 피부가 좋아진다면서 화장품을 사용하라거나 건강을 챙기라며 건강보조식품을 먹기를 권한다. 간접광고라고 하기 어렵다. 시청자들은 과다한 PPL로 몰입을 깬다는 지적도 나온다.

이렇게 우린 알게 혹은 모르게 광고에 계속 노출되고 있다. 내가 필요해서 구입하는 것이라 생각하지만 광고가 나에게 소비의 욕구를 자극하고 있다. 자본주의는 끊임없이 자본이 순환하도록 한다. 내 소득에 맞는 소비가 아니라 빚을 내서도 사게 만드는 것, 대표적인 것이 신용카드 결제다. TV홈쇼핑은 이를 이용해 몇 개월 할부로 하면 한 달에 얼마라며 월 결제금액을 최소화해서 예시한다.

---

32) 시사상식사전. pmg 지식엔진연구소

홈쇼핑 채널은 공중파 방송 채널 중간중간에 들어가 있다. 꼭 필요한 것이 아님에도 계속 보다보면 나도 모르게 구입하게 된다. 일명 쇼핑중독이라 부른다.

우리가 광고 리터러시를 해야 하는 이유다. 광고는 끊임없이 나의 욕망을 자극하고 심지어 과장 광고, 잘못된 광고로 현명한 소비를 할 수 없게 만든다. 가짜뉴스를 체크하듯이 광고 체크도 해야 한다. 제품후기도 살펴보고 광고에서 이야기하는 것이 사실인지도 확인해봐야 한다. 환불제도는 어떻게 되어있는지까지 말이다. 이것이 광고 리터러시다.

8. 광고의 종류, 상업광고와 공익광고와 기업광고

광고는 그 형태와 목적에 따라 다양하게 구분될 수 있는데, 그 중에서도 상업광고와 공익광고는 가장 대표적인 유형으로 인식되고 있다.

상업광고는 기업이나 사업체가 자신들이 제공하는 상품이나 서비스에 대한 소비자의 인지도를 높이는 것을 주 목적으로 한다. 이는 상품이나 서비스의 특징과 장점을 명확하게 알리며, 이를 통해 판매량 증가를 기대하는 것이다. 상업광고는 TV, 라디오, 인터넷, 신문, 잡지 등 다양한 매체를 통해 전파되며, 이러한 매체를 통해 소비자에게 상품이나 서비스에 대한 정보를 제공하고 구매를 유도한다. 그러나 상업광고의 역할은 단순히 판매 촉진뿐만 아니라, 브랜드 이미지를 형성하고 브랜드 인지도를 높이는 것에도 큰 비중을 둔다. 이렇게 상업광고는 시장경제 체제에서 상품과 서비스의 효과적인 유통을 가능하게 하는데 중요한 역할을 한다. 또한, 광고를 통해 소비자의 소비 패턴에 큰 영향을 미치며, 이는 전반적인 시장 흐름에도 영향을 준다.

한편, 공익광고는 상업적인 이익을 추구하는 것이 아니라, 사회적 이슈에 대한 인식을 높이거나, 행동 변화를 유도하는 것을 목표로 한다. 이는 환경보호, 건강 증진, 안전 교육 등의 사회적 문제나 이슈를 다루며, 이를 통해 사회적 가치를 전파하는 데 중점을 둔다. 공익광고는 TV, 라디오, 인터넷, 신문, 잡지 등의 매체를 통해 전파되며, 때로는 전광판, 버스 정류장 등의 공공장소에도 게재되어 직접적인 메시지 전달을 통해 사회적 이슈에 대한 이해를 높이고, 그에 따른 행동 변화를 유도한다. 공익광고는 사회적 가치와 공동체 의식을 강조하며, 이를 통해 사회적 문제 해결에 기여하는 중요한 역할을 수행한다.

따라서 상업광고와 공익광고는 각각 다른 목표와 방향성을 가지고 있지만, 둘 다 광고의 기본적인 역할인 정보 전달과 의사소통의 수단으로서의 역할을 수행한다. 이 두 종류의 광고는 우리 일상 속에서 끊임없이 우리에게 메시지를 전달하며, 우리의 생각과 행동에 영향을 미친다. 이러한 광고의 영향력을 이해하고 광고 메시지를 비판적으로 분석하는 능력, 즉 광고 리터러시는 미디어 리터러시의 중요한 부분이며, 우리가 미디어 사회에서 스스로 생각하고 판단하는 데 필수적인 능력이다.

9. VREW AI로 공익 광고 영상 제작

이번에는 앞에서 배웠던 공익광고를 직접 AI기술을 활용해 제작해보기로 한다. 이 과정은 창의성과 기술적 역량을 동시에 키우는데 유익한 교육이며, AI기술을 실제 광고영상제작에 적용함으로써 공익광고의 목적과 메시지를 명확하게 전달하는 능력을 향상시킬 수 있다. 이를 통해 AI기술의 잠재적인 한계와 윤리적인 문제대 대해 고민하게 되고, 이는 기술을 이해하고 활용하는데 있어서 중요한 배경지식을 제공하며, 기술변화에 능동적으로 대응할 수 있는 능력을 기르는데 중요한 역할을 한다.

우선 어떤 공익광고를 제작할 것인지 정해본다. 주제가 정해졌다면, 바로 실습을 시작한다.

VREW는 한국의 스타트업 보이저엑스(VoyagerX)[33]에서 개발한 프로그램이다. AI기술을 활용하여 사용가자 쉽고 편하게 영상을 편집할 수 있도록 돕는 아주 좋은 프로그램이다. 처음에는 자동 자막 생성 프로그램으로 많이 활용했으나, 현재는 영상편집에 필요한 거의 모든 기능들을 제공하고 있기에 미디어리터러 시지도사 과정에 함께 하는 분들에게 무조건 강력 추천하는 프로그램이다.
이번 과정에서는 AI기능을 활용하여 주제만 잘 골라주면 대본과 영상을 완성도 높게 제작해 주는 신세계를 함께 경험하도록 한다.

---

33) https://www.voyagerx.com/

크롬을 열고 VREW를 검색하여 아래와 같이 홈페이지에 들어가 [무료 다운로드] 한다. https://vrew.voyagerx.com/ko/

1) VREW 회원가입 및 로그인
아래와 같이 사이트의 안내대로 회원가입 후 로그인 한다.
(구글이나 네이버로 연동해서 가입하는 것을 추천한다.)

2) 상단의 [홈] 화면에서 [+새로만들기]를 선택한 뒤, [텍스트로 비디오 만들기]를 클릭한다.

3) 제작할 영상의 비율을 선택하고 다음을 누른다.

이것만 알면 당신도 디지털 미디어리터러시 지도사

4) 비디오 스타일 선택에서 원하는 스타일을 고르고 다음을 누른다.

5) 공익광고의 주제를 적고 [AI 글쓰기]를 클릭한다.

6) AI가 대본을 작성하는 동안 잠시 기다린다.

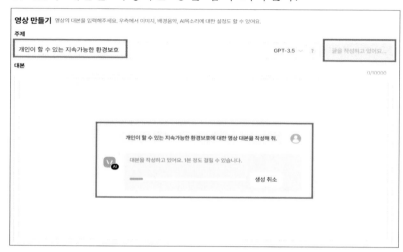

7) AI가 써준 대본을 확인 후 직접 수정하거나 다시쓰기도 가능하다. 좌측에 [영상 요소]에서 AI 나레이션 목소리와 이미지&비디오, 배경음악을 체크하고 [완료] 버튼을 누르면 설정한 것들을 모두 포함해서 제작된다.

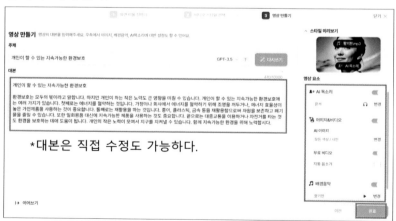

*대본은 직접 수정도 가능하다.

8) 작성한 대본으로 영상을 생성하시겠어요? 라는 창이 뜨면 [완료]를 클릭한다. 대본에 어울리는 이미지를 생성하고 있다는 안내가 나오면 잠시 기다린다.

9) 완료되면 다음과 같이 편집창이 생성된다. ▶재생버튼을 눌러 영상을 확인한다.

10) 아래에 설명과 같이 오른쪽 화면에 나와있는 [클립]은 영상줄과 자막줄로 나뉜다. 영상줄은 영상을 편집할 수 있고, 자막줄은 자막을 편집할 수 있다. 왼쪽에 미리보기 영상을 확인 후 필요한 경우에는 클립을 편집한다.

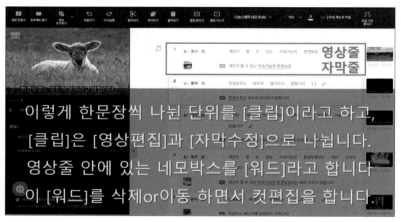

11) 영상 또는 이미지를 교체하고 싶다면 [교체하기]를 선택한다.

이것만 알면 당신도 디지털 미디어리터러시 지도사

12) 원하는 이미지를 적고, [결과보기]를 선택하면 AI로 직접 원하는 영상을 제작할 수 있다.

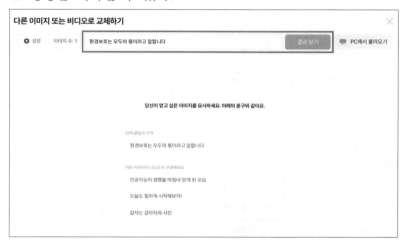

13) AI로 생성한 이미지(다운로드도 가능)를 더블클릭하거나, 왼쪽 박스와 같이 무료 이미지·비디오 화면에서 고를 수도 있다.

14) 영상이 모두 완성되었다면 저장할 차례이다. [파일]-[영상으로 내보내기] 또는 화면의 우측 상단에 있는 [내보내기]-[영상파일]을 선택하여 내 기기에 저장한다. 해상도와 화질 등 선택되어있는 대로 내보내기 버튼을 클릭한다. 파일명 뒤에 experted가 붙인 mp4 파일이다.

　VREW에는 훨씬 많은 기능들이 있지만 이번 시간에는 AI를 활용해서 주제만으로 글을 쓰고 5분 안에 영상을 자동으로 제작해 주는 편리한 기능을 살펴보았다. VREW에서 자체적으로 사용법을 영상으로 제작해 유튜브에 올려놓은 것도 있다. 필요하시면 아래 사이트를 꼭 방문해 보시기를 추천한다.
(https://vrew.imweb.me/tutorial)
　또한 프로그램을 끝내기 전에 [프로젝트 저장하기] 기능으로 작업 중인 파일 저장을 해두는 것도 가능하다. 프로젝트 파일 저장은 VREW 확장자를 가진 파일로 언제든 불러서 재작업하는 기능도 있다. 이렇게 광고영상을 VREW의 AI기능을 활용해서 제작하고 자막도 넣을 수 있다. 무료로 사용할 수 있으니 이 또한 좋은 프로그램이다. 다음은 광고 영상을 QR마크로 만들어 공유하거나 SNS 업로드하는 방법을 알아보도록 한다.

10. 내가 만든 광고 영상 QR코드 제작하고 공유

자막까지 넣어 만든 광고 영상을 누구나 볼 수 있도록 하는 기능 중엔 QR코드가 있다. QR코드는 Quick Response의 약자로 1994년 일본의 덴소 웨이브(デンソーウェーブ)에서 처음으로 개발하고 보급했다. 덴소 웨이브는 QR코드와 QR코드 인식기, 인식 방법 등에 대해 일본과 미국 등에서 특허권을 취득하였지만, QR코드 기술을 변형 없이 그대로 사용하는 조건 하에 QR코드에 대한 특허를 무료로 풀었다. 현재는 특허권 조차 만료된 상태다. 보안과 사용상의 문제점도 있지만 내가 만든 정보를 QR코드로 만들 수 있고 공유가 가능하다는 장점이 있다. QR코드에 정보가 입력되는 원리를 알지 못해도 QR코드는 만들 수 있다. 제작한 광고영상을 바로 온라인에 올릴 수도 있지만 유튜브 등의 플랫폼에 올리고 QR코드를 제작해 공유할 수도 있다. 또다른 플랫폼에 업로드할 때 QR코드도 같이 업로드 가능하다.

그럼 이제 QR코드 만드는 법부터 알아본다. 네이버 QR코드로 금방 만들 수 있다. (https://qr.naver.com/)

첫 화면으로 들어가면 '나만의 QR코드 만들기' 버튼이 보인다. 클릭한다.

QR코드 만들기 첫 단계는 코드 디자인이다.

①기본형과 ②스킨형 중에 선택할 수 있다. 본인의 취향과 필요에 따라 선택하면 된다. 아래 박스 표시한 곳을 제외한 나머지는 모두 동일하다.

이것만 알면 당신도 디지털 미디어리터러시 지도사

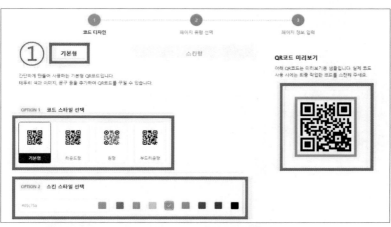

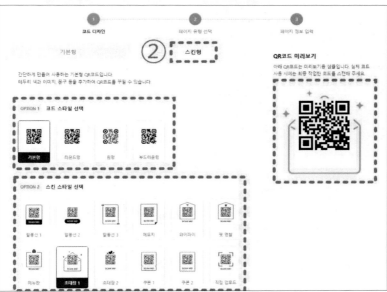

① 스킨 스타일의 색상을 선택한다.
② 중앙에 넣고 싶은 로고가 있다면 넣을 수도 있다. (선택사항)
③ 아래쪽에 넣고 싶은 문구가 있다면 11자 내로 입력 가능하다. (선택사항)
④ 문구의 색상도 고를 수 있다. 코드 디자인을 완료했다면, 하단에 [다음]을 클릭한다.

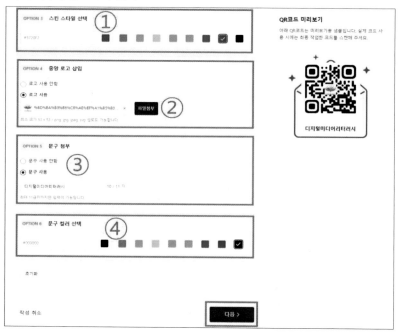

이것만 알면 당신도 디지털 미디어리터러시 지도사

두 번째 단계는 페이지 유형 선택이다. 마지막에 있는 [자체제작]을 선택하고, 다음 단계로 넘어간다.

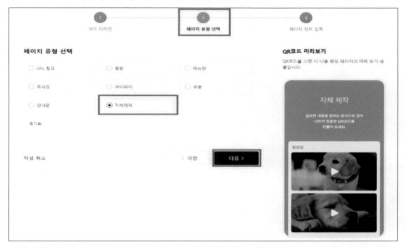

세 번째 단계는 페이지 정보 입력이다. 마음에 드는 페이지 색상을 선택한다. 그리고 기본 정보에 페이지 제목(필수사항)과 페이지 설명(선택사항)을 입력한다.

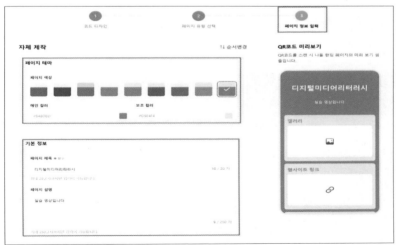

동영상을 제외한 나머지는 모두 삭제한다. (갤러리, 웹사이트 링크, 지도, 명함, 텍스트) 추가하고 싶은 영상이 더 있다면 맨 아래쪽 +항목추가를 클릭하고 추가하면 된다.

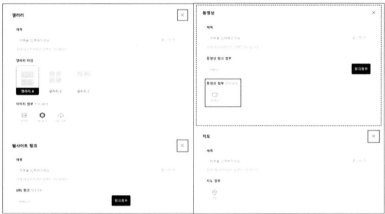

　　　　이것만 알면 당신도 디지털 미디어리터러시 지도사

마지막으로 영상의 대표 이미지를 선택하고 다음을 누른다.

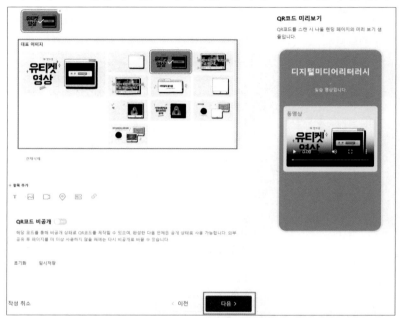

'QR코드를 생성했습니다'라는 메세지가 뜨면 아래쪽 [코드 저장]을
눌러 기기에 저장한다. 이때 확장자와 크기를 설정할 수 있다.
(JPG와 357*357 기본설정) 공유를 누르면 SNS로 공유 가능하다.

아래와 같이 QR코드가 만들어진다.

만들어진 QR코드를 원하는 SNS에 사용한다.

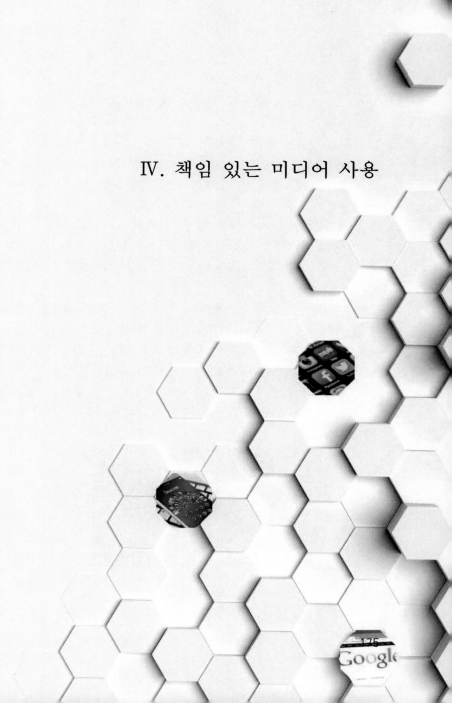

Ⅳ. 책임 있는 미디어 사용

1. 우리는 디지털 사회를 어떻게 변화시킬 수 있을까?

　나와 우리를 넘어 공동체에서 디지털 시민으로 우리는 디지털 사회를 어떻게 변화시킬 수 있을까 생각해본다. 디지털 사회 참여는 온라인 청원, 온라인 투표, 챌린지, 온라인 댓글 등이 있는데 국민권익위원회가 운영하는 국민생각함이 대표적인 사례다. 실명으로 활동하지 않을 수 있는 디지털 사회이니만큼 오히려 문화 다양성과 차이를 이해하고 타인에 대한 배려가 중요한 태도가 될 수 있다. 학생이 했던 '모니터 뒤에도 사람이 있다'는 표현이 생각난다.

　사람을 위한 소셜미디어가 되려면 어떻게 활용해야 할까. 우리는 언제 어디서나 소셜미디어로 소통하고 있다. 단순히 개인적인 소통을 위해 사용하기도 하지만 사회문제에 동참하는 챌린지 도전을 하기도 한다. 태어날 때부터 디지털 기기를 사용한 디지털 네이티브인 MZ세대는 디지털처럼 SNS도 익숙하다. #해시테그를 붙여 공유하는 온라인 챌린지 문화가 MZ세대에게 유행한 것은 당연한 듯 하다.

<정융기 울산대병원장 '아이스버킷 챌린지' 동참, 2018년>

챌린지 문화의 시작은 2014년 승일희망재단에서 루게릭병 전문요양 병원건립을 위한 '아이스 버킷' 챌린지였다. 2014년에 아이스 버킷 챌린지 덕분에 루게릭병이 알려지며 7억의 기부금을, 2018년엔 한 달 만에 9억의 기부금이 모였다. 이런 챌린지 문화는 환경보호를 위한 '플라스틱 프리 채인지' 같은 공익성 챌린지와 가수 지코의 신곡 홍보를 위한 '아무노래 챌린지'인 마케팅성 챌린지와 핑거스냅 동영상 같은 유희성 챌린지로 나뉜다. 사회문제를 챌린지로 참여한 '정인아 미안해'가 일부 쇼핑몰에서 로고를 넣은 큐션, 티셔츠 등 상업적으로 사용하며 의미가 왜곡되기도 했다. "챌린지를 제한하는 사람이 행위를 통해 얻고 싶은 게 명확해야 하며, 누가 보더라도 객관적이고 공익적인 목표가 설정돼야 한다는 점을 유념해야 한다"는 김성수 대중문화평론가의 말처럼 챌린지의 공익성과 구체적이면서 객관적인 아이스 버킷 챌린지가 성공할 수 있었던 이유다.

많아지면 달라진다

2010년 유튜브에서 다큐멘터리를 기획했다. 전 세계 13세 이상의 유튜브 사용자라면 참여 가능하고 7월 24일 하루 동안 (12:01 am~ 11:59 pm) 주변에서 일어나는 일상생활을 동영상으로 촬영해서 공식채널에 업로드하면 선정한 사람들의 영상으로 <Life in a day>를 만들어 선댄스 영화제에 초청 상영하는 것이었다. 197개국에서 총 4,500시간 8만 여개의 영상이 모였고 1,125편의 영상이 한 편의 장편 다큐멘터리로 탄생했다. 그로부터 10년 후 <Life in a day 2021>이 또 만들어졌다. 지금도 두 다큐멘터리를 유튜브에서 볼 수 있다.

전 세계에 사는 개인의 일상이 모여서 만들어낸 한 편의 감동적인 영상이다. 지극히 평범한 일상에서 특별한 일상까지 언어와 모습은 다르지만 누구나 공감할 수 있는 장면들이다. 2020년 버전은 코로나 이전과 이후의 모습을 비교해서 볼 수 있다. 삶의 가치를 생각해보는 시간이 될 것이다.

존 쿠퍼(John Cooper) 선댄스 영화제 집행위원장은 "우리의 궁극적인 목표는 전세계인의 스토리텔링을 지원하는 것이며, 이를 위해 각 개인의 경험과 감정을 표현할 수 있는 플랫폼을 제공하는데 주력하고 있다"라고 했다.

<Life in a day 2011>

여러분이 유튜브에 나의 일상 중 영상으로 보낸다면 어떤 것을 보낼까. 나의 일상을 브이로그로 만들어보고 그중에서 골라보는 것도 좋다.

2. UCC 공모전 기획, 촬영, 편집 실습

나의 일상인 브이로그도 좋지만 공동체를 변화시키는 혹은, 사회적 참여로 UCC 공모전에 참여해보는 경험도 새로울 것이다. 공모전을 일일이 찾을 필요도 없다. 공모전만을 모아놓은 사이트로 씽굿과 올콘이 있으니 사이트에 올라온 마감이 지나지 않은 것을 고르면 된다.

\<씽굿(https://www.thinkcontest.com/thinkgood/index.do)\>

공모전 영상을 만들 때 고려할 사항은 형식적인 측면에서 화면과 소리를, 내용적 측면에서 정보와 구성을, 창의성의 측면에서 재미와 독창성이다. 심사하는 사람들이 평가하는 기준이다. 공모전은 전문가들이나 하는 것으로 어렵게만 느껴지거나 생각해보지도 않았을 수 있다. 나 역시도 그랬는데 미디어 자격과정 수업을 들으며 팀을 구성하고 기획해서 촬영하고 편집해서 공모전에 제출했다. 한화생명에서 주관한 시니어 크리에이터 발굴단 <내 앵글이 어때서> 였다. 박막례씨의 29초 영화제 <인생은 71살부터> 영상을 보고 샘플 영상으로 삼았다. 식당 운영자(71세)을 하던 박막례씨의 모습에서 립스틱을 바르고 화장하는 모습을 보여주며 "저 박막례는 71세에 뷰티 유튜버에 도전하여 또 다른 세상을 살고 있습니다. 하고 싶은 일에 나이를 제한두지 마세요."라는 자막과 함께 "Enjoy your life>"로 끝이 난다. 마침 팀원 중엔 공무원 퇴직하신 분이 계셨고 그때 당시 치매예방 운동 강사를 시작했다. 치매예방운동을 팀원들이 따라하고 유튜브 배우는 모습을 담으며 <내 나이가 어때서>로 제목을 붙이고 공모전에 지원했다.

시니어 스타상으로 상금과 함께 부상으로 삼각대와 촬영장비를 받았다. 63빌딩에서 시상식을 하고 뷔페 식사는 저녁 강의로 먹지는 못했다.

또 한 번은 지역의 구청에서 '온라인 마을교재' 동영상제작 공모전에 팀이 모여 재활용 분리수거와 관련한 영상을 만들어 지원했고 '함께상'을 상금과 상장으로 받았다.

강의를 나가면 꼭 공모전 영상제작 실습을 해보길 권한다. 개인 활동보다 만족도도 높고 각각의 재능을 발휘할 수 있다. 늘 소극적이고 참여를 잘 안하던 학생이 편집에는 재능이 있어 영상이 기대 이상의 결과물로 나오기도 했다. 담당교사도 놀라워했을 정도다. 그리고 무엇보다 사람들에게는 '창조본능'이 있다는 걸 경험하게 된다. 학생, 성인 모두 기획할 때 얼마나 즐거워하는지 모른다. 나처럼 감독을 하며 기획에 소질이 있다는 것을 발견할 수도 있다. 팀원을 5~7명 정도 정하고 감독, 작가, 촬영, 편집, 배우 등의 역할을 나누고 기획, 구성, 촬영, 편집, 완성의 5단계를 거친다. 기획할 때 시나리오와 각 장면의 스토리보드를 작성한다. 이때 자막과 음악도 포함한다. 촬영할 땐 편집할 사람의 핸드폰으로 한다. 영상을 옮겨 받는 데 시간이 걸리기도 하고 편집하는 사람이 원하는 앱으로 해야 하기 때문이다.

촬영을 끝내고 편집할 때도 함께 논의하도록 한다. 그렇지 않으면 편집 감독만 하고 나머지는 멀뚱히 있거나 잡담한다. 차라리 개인 영상편집 실습하도록 한다. 편집이 끝나면 강사의 카톡이나 메일로 받아 팀원들 모두 나와서 맡은 역할과 팀명과 주제와 함께 소감을 발표하도록 한다. 발표할 사람을 미리 정해도 좋다.

공모전 동영상 제작 실습할 때는 시간을 미리 정해서 안내하는 것과 영상을 꼭 공모전에 제출하도록 하는 것이 중요하다. 기획시간, 촬영시간, 편집시간, 발표시간까지 미리 칠판에 적어 끝낼 수 있도록 한다. 기획시간이 생각보다 많이 필요하다. 중학교의 경우 45분 1시간 수업을 2번으로 묶어서 하면 90분 안에 이론적인 내용부터 발표까지 모두 해야 한다. 성인은 2시간 특강에서 하는 경우도 시간 분배를 잘하고 연강일 경우엔 좀 더 나누어도 된다.

학생들은 공모전 영상을 만들고도 제출 안 하는 경우가 대부분이다. 영상을 만들어보는 경험도 좋지만 공모전에서 입상하면 성취감과 함께 자신감도 생긴다. 의미 있는 영상을 만들어 사회에 영향을 줄 수 있다는 것을 느낄 수 있는 기회다.

3. 초감정의 이해와 자기 탐색

지금까지 나와 우리와 공동체의 범주에서 다양한 내용을 살펴보았다면 이제 디지털 미디어 리터러시 강사로 활동하기 전에 나에 대한 점검을 해보는 것이 필요하다. 나 스스에 대해 질문을 할 때 가정 먼저 살펴봐야 할 것이 '초감정(Meta emotion)'이다. 초감정이란 개개인이 가지고 있는 '감정에 대한 감정'을 의미한다. 초감정을 들여다봄으로써 몰랐던 자신에 대해서 알게 되는 경우가 아주 많다.

장영희 작가의 『내 생애 단 한 번』에 나오는 문구를 보면 유년기의 첫 기억이 중요한 이유를 알 수 있다. "어떤 심리학자는 우리의 과거를 더듬어 첫 번째 기억을 찾아내면 어른이 되어서도 자주 느끼는 감정들을 이해할 수 있다고 한다. 혼자 담벼락에 붙어 울던 기억, 장터에서 엄마를 잃고 헤매던 기억, 아버지 주머니에서 몰래 돈을 훔치던 기억 등 마음 깊숙이 남아있는 유년의 기억이 간혹 현재의 의식에 표면화되기도 한다는 것이다."

우리는 흔히 감정은 외부의 행동 때문에 생겨나는 것으로 생각한다. 하지만 똑같은 외부행동이 있더라도 사람마다 표현하는 감정이 똑같지는 않다. 왜 그럴까? 이는 저마다 과거 경험이나 특정한 사례로 인해 감정이 만들어졌기 때문이다.

초감정으로 접근하기 위해 유년 시절을 떠올릴 때 가장 먼저 생각나는 기억을 작성한다. 첫 기억은 내가 기억하는 가장 어린 나이의 기억으로 그 장면만은 그날의 날씨, 분위기 등이 또렷이 생각나는 것이어야 한다. 내가 기억하는 첫 기억은 옷 색깔과 옷의 질감과 더불어 그날의 감정까지 생각난다. 글로 써도 되고 그림으로 그려도 된다. 그때 떠오르는 감정도 함께 적어본다. 그 감정이 생기는 원인을 생각해보고 그 감정들이 나에게 어떤 영향을 주었는지역시 살펴본다.

이 작업이 마무리되었다면, 더 나아가 "나는 누가 ___할 때마다 ___을 느낀다."[34] 빈칸을 적어 문장을 완성한다.

문장을 완성하면 내가 어떤 사람의, 어떤 것 때문에, 어떤 감정을 느끼는지 확인해볼 수 있다. 유독 어떤 모습을 보이는 사람에게 화가 날 수 있는데 나는 이기적인 사람들을 보면 화가 난다. 특히 공동체를 해치는 이기적인 행동일 때 그런데 사실 남들이 보기에 별일 아닐 수 있다. 이처럼 똑같은 상황인데 화가 나는 사람이 있는가 하면 아무렇지 않은 사람도 있다. 어떤 감정이든 그 감정의 원인이 있다. 그래서 화가 나는 감정도, 슬픈 감정도, 별 감정을 느끼지 못하는 감정도 모두 원인이 있기에 그 감정을 들여다봐야 한다는 것이다. 이것이 감정에 대한 감정이다.

자신의 초감정을 알고 나면 내가 감정을 쏟게 되는 관심사, 혹은 내 감정의 책임을 외부가 아닌 자기 자신에게서 찾을 수 있다. 이런 과정을 반복해서 나 자신을 잘 들여다보게 되면, 나에게 어떤 일이 발생했을 때 사건을 객관화하고, 상황 판단을 하고, 해결하기까지의 과정에서 내 선택을 후회하지 않게 된다.

초감정으로 나에 대한 점검뿐만 아니라 수강생들과 함께 작업해보기를 권한다. 나를 알아보는 좋은 접근이니 작성한 것을 발표하는 시간을 가진다. 대부분 너무 강력했던 것을 기억한다. 하지만

---

34) 『도둑맞은 감정들』 조우관

왜 그 기억이 첫 기억으로 생각났는지 이유를 찾지 못하는 경우가 많다. 이유는 자신 스스로 찾아가야 한다. 성인이 된 이후로도 어떤 결정이나 행동에도 영향을 미치는 이유를 알게 될 수 있다. 유년기 첫 기억은 한 번 의식으로 떠오르고 나면 다른 기억으로 대체되기도 한다.

3. 미디어를 활용한 자기탐색, 퍼스널컬러 테스트와 MBTI

자기 탐색을 할 수 있는 두 번째 도구로 <색채심리학>에 대해 이야기 나누려 한다. 색채 심리학에 대해 알아보기 전에 우리가 너무 잘 알고 있는 색에 대해서 먼저 알아보기로 한다. 우리는 색(色)의 정의를 빛을 흡수하고 반사하는 결과로 나타나는 사물의 밝고 어두움이나 빨강, 파랑, 노랑 따위의 물리적 현상이라고 배웠다.

그런데 이미 200년 전에 뉴턴의 광학 이론에 반대하며 색을 물리적 현상만으로 바라보는 것이 아닌 색채가 우리에게 주는 효과까지 생각해야 한다고 주장한 과학자가 있는데, 그가 바로 우리가 너무 잘 알고 있는 『파우스트』의 작가 괴테이다. 괴테는 색채가 우리

인간에게 어떻게 인식되는지에 대한 주제를 20년 동안 연구해 1810년에 출간하였을 정도로 색채에 관한 연구를 깊이 했다.

현대 색채론은 물리학자 오그덴 루드(Ogden Nicolas Rood, 1831~1902)의 이론으로 물감의 혼합과 빛의 혼합 그리고 색채 대비를 규명했다. 이 이론은 계속 발전해 색채학자 파버 비렌(Faber Biren, 1900~1988)에 의해서 색채 조화론을 제안했고, 예술과 건축의 전문교육의 조형 학교인 독일의 바우하우스(Bauhaus)의 교수인 요하네스 이텐 (Johannes Itten, 1888~1967)[35]은 색채 조화론 수업 중 학생들의 배색이 개인의 특성(사고방식, 감정, 행위)에 따라서 다르다는 것을 알고 이후 4계절에 기반한 4개의 컬러 팔레트를 만들었다.

이 4계절 파레트는 현재 뷰티 업계에서 가장 많이 사용하고 있는 퍼스널 컬러의 시초가 되었다

로버트 도어(Robert Dorr, 1905~1980)는 색에는 옐로 베이스와 블루베이스가 있다는 것을 주장한다. 이후 이 이론은 요하네스 이텐의 패션 아카데미를 수료한 심리학자 캐롤 잭슨(Carole

---

35) 사진 출처 : 콘텐타 메거진(https://magazine.contenta.co/)

　　　　이것만 알면 당신도 디지털 미디어리터러시 지도사

Jackson, 1942~)이 1987년 출간한 <Color Me Beautiful> 이라는 저서에서 자신의 퍼스널 컬러와 맞지 않는 색상은 심리적인 부분까지 영향을 준다고 알려준다. 그래서 사람의 이미지를 4가지로 분류한 후 각자에게 맞는 퍼스널 컬러를 이용해 패션 메이크업을 선보이며 센세이션을 일으켰다.

출처 : [한겨레 매거진 ESC] 나를 환하게 만든 색을 찾아라
작가 케런 할러는 응용 색채심리학 분야의 세계적 전문가로, 색의 에너지를 우리 삶에 효과 있는 활용법을 들려주고자 2019년 <컬러의 힘>이라는 책을 펴냈다. 나에게 맞는 컬러는 나를 돋보이게 해 자신감을 높여주는 긍정적 효과뿐 아니라 타인을 이해할 수 있는 도구의 기능으로도 충분하다.

심리테스트를 하는 이유

온라인의 심리테스트를 검색해보면 심리테스트의 영역이 일반적으로 알고 있는 분야보다 훨씬 다양하다는 것을 알 수 있다. 심리 테스트 콘텐츠의 시장이 이렇게까지 확장된 이유는 소비자들이 있기 때문이다. 요즘의 심리테스트들은 모바일로, 인터넷으로 접근이 너무나 쉽다. 그러다 보니 소비자들의 세대도 젊다. 그런데 왜 이들은 심리테스트를 하는 걸까?

테스트들은 자기탐색의 결과다. 자기가 누구인지를 알아보기 위해서 테스트한다. 하지만 여러 종류의 심리, 성격 테스트가 모든 연령대에 인기가 있는 건 아니다. 미디어나 SNS 활용에 능숙한 세대에 더 많은 인기가 있는 이유가 무엇일까? 인간은 혼자 살 수가 없다. 관계 속에서 나의 모습을 보여주고, 가치를 인정받으며 더불어 살아간다. 성인은 직장생활을 하며, 학생은 학교생활을 하며 관계를 형성하고, 관계 속에서 인정받으며 살아간다. 이 세대들은 남을 통한 자기 자신을 확인할 기회가 많이 줄었기 때문에 스스로 확인할 수 있는 도구로 선택을 했을 것이다. 또 다른 이유는 지금의 젊은 세대들은 자기에 대한 특성, 내가 누구인지, 내가 뭘 좋아하는지에 대한 자극과 질문을 참 많이 받는 세대다.

예를 들어 예전 내가 어렸을 때 어른들이 "너는 꿈이 뭐니?"라는 질문을 많이 했다. 요즘에는 "너의 장래희망이 뭐니?"라는 질문을 많이 한다. 비슷한 것 같지만 다르다. 내가 되고 싶은 사람과 내가 되어야만 하는 사람의 차이다. 학교 다닐 때부터 장래희망을 찾기 위해 적성검사를 하고, 기질을 검사하고, 성격 유형 검사를 한다. 끊임없니 "너는 어떤 사람이니?"라는 질문을 받는 셈이다. 그렇기 때문에 심리테스트 콘텐츠를 활용하는 게 자연스럽다. 최근 입사지원서에 MBTI 결과지를 첨부하라는 요구를 하는 곳도 있다. 회사가 원하는 성격유형이 있다는 것일 수 있다. 하지만 이런 상황에 대해 MBTI 연구소 김재형 연구부장은 매우 위험한 인식이라고 지적했다. 테스트들의 용도는 나 자신을 탐색해 나의 능력을 조금 더 잘 활용할 수 있도록, 도움을 주는 도구가 되어야 한다. 또 다른 사람을 이해하는 도구로 사용하여야 한다.

퍼스널 컬러 테스트와 MBTI

같이 해 볼 테스트는 퍼스널컬러 테스트와 무료 MBTI 검사다. 스마트폰으로 12가지 질문에 대한 답을 하면 자신에게 해당하는 색을 알려주고, 성격을 말해준다. 가까이해야 할 색과 멀리해야 할 색도 알려준다. 달리 말하면 잘 어울리는 성격과 그렇지 못한 성격을 알려준다. 여기에 무료성격유형 검사에서 나온 성격유형의 내용을 더해 같이 보면, 자기 자신에 대해서 조금 더 깊게 알 수 있다. 그러다 보니 종종 퍼스널컬러 테스트와 MBTI 테스트를 같이 놓고 설명하는 경우도 있다. 물론 두 개의 테스트 결과가 정확히 일치하지는 않는다. 그럼에도 MBTI와 비교해 보라고 MBTI 무료검사 사이트를 안내해 주기도 한다. 자기 탐색의 영역을 넓히는 용도로의 사용을 전제로 하기 때문이다. 무료검사는 정확한 MBTI 검사와 다르다. 이 테스트는 Neris Type Explorer(성격유형검사)로 MBTI, 마이어 브릭스 재단과는 연관이 없다고 재단의 입장을 밝혔다. 하지만 성격유형 검사의 바탕은 분석심리학자 카를 융과 철학자 니체의 가치관 분류법에 근거하고 있기 때문에 두 검사의 결과가 비슷하다.

두 번째 함께 해 볼 테스트는 '무료 성격유형 검사'다. 보통은 무료 MBTI, 또는 무료 성격 검사라고 검색하면 사이트를 찾을 수 있다. (https://www.16personalities.com)

무료검사이기는 하지만 12분이라는 시간이 소요될 만큼 질문의 개수가 많다. 검사 결과의 내용은 자기 탐색을 할 수 있는 무척 좋은 도구이다. 그래서 내 가족이나 가까운 사람들과 함께해보기를 권유한다. 서로서로 이해하는 데 많은 도움이 되는데 상대방을 내 마음대로 오해하는 일들을 줄일 수 있다. 불필요한 감정이 줄어들면 삶의 효용성이 높아진다.

지금은 물리적인 전쟁은 없는 시대지만 우리의 일상생활을 흔히 전쟁으로 빗대어 쓸 만큼 개개인이 전쟁 속에 있는 것과 다름없이 삶 자체가 치열하다. 미디어의 발달로 어쩌면 나의 의도와 상관없이 개인이 겪어내야 할 치열함의 영역은 더 커졌다고 생각한다. 이런 혼란 속에서 자기 탐색은 무척 중요하다. 나에 대해 이해를 하고 있으면 내 중심의 선택은 무척 안정적이다. 내가 안정적으로 되면 다른 사람과의 관계도 안정감이 생긴다.

이것만 알면 당신도 디지털 미디어리터러시 지도사

5. 나만의 이키가이 찾기

 이키가이 벤다이어그램은 이키가이를 자기계발 분야에서 가져가 사용하면서 알려졌다. 이키가이는 일본어의 삶을 뜻하는 '이키'와 가치라는 의미의 '가이'가 합쳐 만들어진 단어로 삶의 보람, 삶의 가치란 뜻이다. 이키가이 벤다이어그램을 작성하며 디지털 미디어 리터러시 지도사가 나에게 맞는지 알아볼 수 있는 기회가 될 것이다.

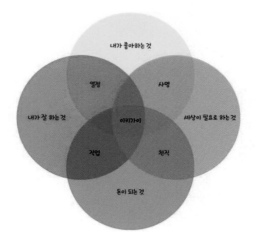

 활동 순서는 위의 이키가이 벤다이어그램에서 보듯이 네 개의 원이 있는 질문에 대해 가능한 한 상세히 많은 것들을 적어보는 것이다. 좋아하는 것, 잘하는 것. 돈이 되는 것, 세상이 필요한 것을 적으면 된다. 벤다이어그램을 적을 때 가장 많은 시간이 드는 것은 좋아하는 것을 찾는 일이다. 이 벤다이어그램을 적을 때는 1~2시간의 시간을 들여서 하는 작업이 아니라 항목마다 하루, 혹은 그 이상의 시간을 들여서 충분히 생각하고 적어야 한다. 좋아하는 것은 예를 들면 수영하기, 필기도구, 숲속의 나무 등 활동, 물건, 자연 구분 없이 모든 것을 적어야 한다. 다른 항목도 마찬가지다. 잘하는 것은 좋아하는 것 중에서 내가 더 배우고, 연습하고, 경험이 더해진 일들을 적는다. 결과물보다는 자신을 탐색하는 과정이 훨씬 중요한 활동이기 때문에 부담 없이 진행해야 한다.

이렇게 4가지 항목을 모두 적고 나면. 2단계 활동으로 좋아하는 것과 잘하는 것이 겹친 곳에 해당하는 것들을 적어보면 내가 열정을 느낄 수 있는 일들이다. 잘하는 것과 돈이 되는 것의 공통분모는 직업이고, 돈이 되는 것과 세상에 도움이 되는 것의 공통분모는 천직으로 삼을 만 한 일이고, 세상이 필요한 것과 좋아하는 것의 공통분모는 사명감을 느낄 수 있는 일들이다.

2단계 활동을 마친 후, 3단계 활동은 2단계에서 쓴 것 중에서 모두 겹치는 것을 찾아본다. 이렇게 찾은 이키가이는 내 삶의 가치를 스스로 높게 느끼게 해 주는 일이다. 나만의 이키가이를 찾았다면 한 문장으로 만들어본다. 사람들과 함께 하는 것을 좋아하고 잘하는 나는 플랫폼 사업을 하게 되었고 세상이 필요한 공익성이 나와 맞기도 했다. 그래서 나의 이키가이를 한 문장으로 하면 '플랫폼을 활용한 공익적 교육사업'이었고 이후 나를 움직이는 동력이 남을 돕고자 하는 마음을 알고 '달란트 파인더'란 이키가이를 발견하기도 했다. 이키가이 벤다이어그램은 청소년, 성인 모두에게 유용하다. 특히 어떤 선택을 해야 할 때 해보면 길이 잘 보인다.

수강생 중에 본인이 현재 하는 일과 취미로 시작한 일이 직업을 삼을 정도까지 돼니 주변에서도 해보라고 권했는데 어떻게 해야 할지 고민이라고 했다. 이키가이 벤다이어그램을 작성해보더니 뭘 선택해야 할지 알겠다며 흡족해했다. 이카가이 벤다이어그램이 선택의 방향키가 될 수 있다.

6. 청소년 강의와 성인 강의의 특징

디지털 미디어 리터러시는 학령기의 학생부터 노년층까지 전생애에 걸쳐 필요한 교육이다. 그래서 디지털 미디어 리터러시 지도사들은 전 연령대의 수강생 대상의 강의가 가능해야 한다. 수강생에 대한 이해부터 특징들, 접근법도 알아야 한다.

우선 청소년 강의할 때 주의사항과 특징을 살펴보면 학교에서 비자발적으로 참여한 학생인지 도서관 등 외부기관의 프로그램을 자신을 선택해서 참여한 것인지에 따라 참여도와 적극성이 현저하게 차이가 난다. 학교 동아리나 창의체험 수업, 방과후 수업은 그나마 나은데 초등학교 6학년, 중학교 3학년, 고등학교 3학년인 전환학년제 수업처럼 학기 말 전 학년이 참여하는 수업은 마지못해 아니면 참여조차 하지 않는 학생들도 있다.

그리고 학생들은 생각지 못한 돌발행동을 하는 경우도 있다. 엎드려 자는 학생도 있는데 절대 학생들 몸을 만져서는 안 된다. 수업 시작하면 Ground Rule을 정한다. 수업하면서 지켜야 할 것들을 같이 이야기하고 결정하는 것이다. 또한 배제되는 학생이 없도록 수업진행 도우미 같은 역할을 주는 것도 방법이다.

청소년은 초등, 중등, 고등학생을 대상으로 학교 수업시간은 초등은 40분, 중등은 45분, 고등은 50분이다. 학기 중엔 동아리 방과후, 직업인 특강, 자유학년제 비교과 활동, 진로체험(창체) 등이 있고, 학기 말에는 전환 학년제에 해당하는 초등학교 6학년, 중학교

3학년, 고등학교 3학년에게 하는 수업이 있다. 수업 회수도 특강에서부터 4강, 6강, 12강으로 다양하다. 단위학교에 진로 등의 수업으로 강의하려면 방과후강사도 가능하다. 지자체에서 진행하는 마을강사도 있고 진로직업체험지원센터를 통해 활동할 수도 있다.

성인 수강생 중 특히 시니어분들은 디지털 기기 사용이 익숙하지 않으니 천천히 반복해서 실습을 할 수 있도록 한다. 모든 분들이 그런 것은 아니지만 수업 내용과 상관없는 개인적인 질문이나 요구하는 경우엔 쉬는 시간이나 실습시간에 답을 해드리는 것으로 안내한다. 청소년은 질문을 해도 반응이 없거나 몇몇 학생만이 대답을 한다면, 성인은 미디어 능숙도가 천양지차이기에 개별 맞춤처럼 해야 하는 경우도 발생한다. 성인도 수업 시작하면서 Ground Rule을 정할 수 있다.

성인들을 대상으로 하는 강의 역시 기관의 강사모집에 지원하면 된다. 여성들을 위한 여성새로일하기센터, 여성인력개발센터가 있고 시니어들을 대상으로 교육하는 50플러스센터, 노인복지센터 등이 있다. 그 외에도 다양한 기관에서 강사모집을 하고 있으니 자격요건을 잘 살펴보고 기회를 마련한다.

수강 대상에 대한 이해를 했다면 이제 디지털 미디어 교육이 어떻게 이뤄지고 있는지 살펴보자. 청소년과 성인 모두 디지털 미디어 교육이 대세이다. 단순하게 디지털 문맹탈출을 위한 디지털 역량강화에서부터 유튜버되기, 메타버스 이해, 미디어리터러시 등 세부적인 내용으로 강의한다. 미디어와 디지털 기능을 능숙하게 다룬다면 분명 강점이 될 것이다. 기능적인 강의뿐만 아니라 부모자녀 소통으로도 접근할 수 있으니 모든 대상이 가능한 분야다.

7. 강사역량과 강사의 이미지 메이킹의 중요성

 강사는 다른 사람들 앞에 서는 사람이다. 인지도가 있는 강사는 옷차림이나 머리스타일이 크게 작용하지 않는다. 벌써 그 사람에게서 나오는 아우라만으로도 충분하다. 하지만 일반적인 강사는 역량과 이미지 메이킹을 할 필요가 있다. '강의만 잘하면 됐지 뭘' 이라고 생각할 수 있지만 강사가 아무리 강의를 잘해도 강사 외모나 강의하는 스타일, 목소리 등에 호불호가 생길 수 있기 때문이다. 유명 강사조차도 모든 사람이 좋아하지 않고 싫어하는 사람도 있다.

 강사역량은 목소리 톤과 발성, 자세, 엉뚱한 질문이나 부정적인 질문에 대처하는 순발력, 강의에 활용할 음악, 포인터 사용, 마이크 등 기기사용, 노트북 연결과 같은 기능적인 것을 포함해서 강의 안에 들어갈 동영상, 이미지를 선택하는 것 등 여러 가지가 있다. 그리고 무엇보다 강의장의 여건이 맞지 않아 스피커가 지원이 안 되는 등의 돌발상황에 문제를 해결하는 능력이 필요하다.

 우선 수강생들에겐 강사의 강의력보다 먼저 보이는 것이 강사의 외모다. 처음 강의를 시작했을 때 지도교수는 머리는 아나운서처럼 커트나 단발로 옷차림도 단정한 정장을 입으라고 알려줬다. 머리를 기르거나 묶지 말라고 했다. 전문가처럼 보이지 않는다는 이유였다. 지금은 그 정도는 아니지만 기본으로 자켓은 입는다. 어느 분야의 강사인지에 따라 이것도 불필요한 요소다. 메라비언 법칙은 목소리와 더불어 톤과 얼굴 이미지를 보여줬을 때 호감도를 실험 연구한 결과로 비언어적 요인이 호감도를 올려준다고 볼 수 있다. 강사의 역량으로 자세나 목소리 톤과 발성이 들어가 있는 이유다.

교육운영의 법칙

강사는 교육을 운영하는 전문가로 원칙을 가지고 있어야 한다. 다음의 8가지의 운영원칙을 기억해둔다.

첫째, 적합성의 원칙이다.
학습자의 요구를 파악하고 그에 부합하는 내용의 PPT는 물론 강의 계획서에 제시한 내용과 일치해야 한다. 당연히 수강생에 따라 이미지와 사례를 달리해야 한다.

둘째, 동기부여의 원칙이다.
수강생에게 배움의 즐거움을 줄 수 있고 계속 배움을 이어갈 수 있도록 해야 한다. 그러기 위해선 이론적인 내용과 더불어 활용방법을 알려주어 교육이 끝난 후에도 사용할 수 있어야 한다.

셋째, 최신의 원칙이다.
처음 배운 것이 가장 잘 학습된다고 한다. 첫인상이 중요한 것은 누구나 경험해서 알고 있다. 강사도 마찬가지이니 도입을 어떻게 할지 자신만의 노하우를 마련한다. 어색함을 깨기 위한 아이스브레이킹을 준비한다.

넷째, 쌍방향 커뮤니케이션의 원칙이다.
강의식 강의보다 참여식 강의를 선호하는 시대가 되었다. 강사는 수강생에게 정답이 없는 열린 질문으로 호기심과 집중도를 이어간다.

다섯째, 상호 피드백의 강화다.
피드백은 강사가 일방적으로 하는 것으로 여길 수 있지만 수강생과 함께 교육목표에 맞춰 잘 되고 있는지 확인하는 것을 포함해

장단점도 나눌 수 있어야 한다. 이는 함께 성장할 수 있는 기회가 된다.

여섯째, 참여 학습의 원칙이다.

강의의 만족도를 높이는 가장 좋은 방법은 수강생의 참여다. 본인이 적극적으로 참여하면 강의가 좋다고 느낀다. 강사가 억지로 제시한 참여가 아닌 수강생이 능동적으로 참여하는 것이 중요하다.

일곱째, 5감 활용의 원칙이다.

자칫 수강생에게 수동적인 들기만을 하면 교육에 흥미를 잃을 수 있다. 청소년은 더욱 그렇기에 오감 중에서 1개 이상을 활용하도록 한다. 손을 들고 발표하거나 쓰고 실습을 하는 것이 필요하다.

여덟째, 반복 학습의 원칙이다.

인간의 기억이란 한정적이다. 반복적으로 하는 것은 기억을 돕는 첫 번째 방법이다. 중요하다고 생각하지 않으면 기억할 필요가 없다고 판단하는 것은 물론 재미가 없으면 기억하지 않는다.

강사는 강의 전과 강의 중, 강의가 끝나고 체크할 것들이 많다. 학습자의 지식정도, 흥미, 나이, 집단의 성향을 파악하고 강의를 통해 수강생이 무엇을 알게 되기를 바라는 지도 점검한다. 강사는 000이다. 여러분은 뭐라고 생각하나. 나는 강사는 1인 기업가라고 생각한다. 강의를 잘 하는 것은 기본이고 기관의 담당자와 관계도 중요하고 수강생의 욕구도 파악해야 한다. 그런 면에서 강사에겐 자기 주도성이 가장 중요한 역량이다. 강의 전부터 끝나고 난 후 모든 것을 누가 대신해줄 수 없는 것들이다. 강사의 태도는 '겸손한 자신감'이면 좋겠다. 잘난척하는 자만심이 넘치는 강사는 강사들도 싫어한다. 강사의 역량에서 무엇이 가장 중요한지는 각자 생각하는 바가 다를 수 있다. 중요하다고 생각하는 것을 키우는 노력도 강사의 몫이다.

7. 생성형 AI 활용 디지털미디어리터러시 강의 커리큘럼 구성

지금까지 배운 내용을 바탕으로 나만의 미디어리터러시 강의 커리큘럼을 구성해본다. 내가 아는 것과 남을 가르치는 것은 다르기도 하고 내가 충분히 가르칠 수 있는 것이어야 교육이 가능하다. 미디어리터러시 분야가 한국에서 지금처럼 활발하게 교육한 것은 불과 몇 년에 지나지 않는다. 그러기에 미디어리터러시 전문가가 부족하고 경험을 가진 전문가는 더 부족하다. 앞에서 다뤘던 내용을 하루아침에 숙지하고 교육하기에는 준비기간이 많이 필요하고 어렵다고 느낄 수 있다. 그동안 자신이 경험한 분야가 있다면 융합하는 것을 추천한다. 내가 해왔던 것이기에 부담도 적고 접목시키는 것 또한 다른 사람이 할 수 없는 나만의 강점이 될 수 있다.

독서강의를 했던 강사라면 자연스럽게 미디어리터러시를 생각해 볼 수 있는 책을 선정해서 활동으로 접근하면 된다. 연령이 어린 영유아와 영유아 부모대상이라면 그림책을 활용한 리터러시도 가능하다. 다음에 첨부되어있는 양식을 활용해 작성해본다. 강의 커리큘럼은 최소 4강으로 작성하길 권한다. 기관담당자가 여러 강을 요청할 수도 있고 특강을 요청할 수도 있는데 연강 중 특강을 요청할 수도는 있어도 1회차 강의를 보고 다회차로는 어떻게 되는지 확인할 수 없기 때문이다.

강의 커리큘럼, 계획서를 작성을 양식에 맞춰 적으려고 하면 구성을 어떻게 해야하고 내용은 뭘 넣어야 할지 막막할 수 있다. 이때 활용하면 좋은 것으로 인공지능 프로그램 생성형 AI가 있다. 카카오톡 Askup과 구글 제미나이와 챗GPT와 네이버 하이퍼클로버X 등이 있다. 프롬프트에 원하는 강의 제목을 넣고 작성해달라고 하면 된다. 제미나이는 답변을 3개까지 만들어주니 맘에 드는 것으로 저장해서 활용해서 작성하면 된다.

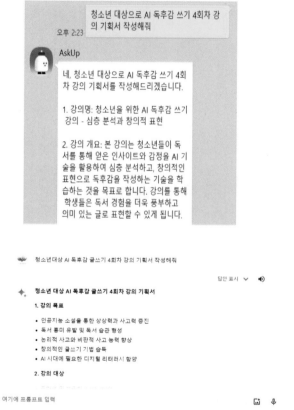

생성형 AI에서 알려주는 책이나 논문을 포함해 사실확인을 꼭 해야 한다. 없는 자료와 책 제목을 진짜 있는 것처럼 알려주는 환각

현상이 있기 때문이다.

강의는 기관에서 대상, 회차와 내용에 맞게 요청할 수도 있다. 교육명, 교육대상, 교육목표, 교육내용, 교육시간에 확인하고 강의 커리큘럼과 강사 이력카드를 작성한다. 강사이력카드와 커리큘럼은 기관양식이 정해진 경우도 있지만 기본적으로 작성해놓으면 양식에만 맞추면 된다. 강사이력카드 작성 시에는 미디어리터러시 분야가 없을 수 있다. 그럴 땐 미디어와 관련된 활동 (자원봉사, 온라인 활동) 등을 적고 관련 자격증, 수료증을 날짜와 기관명을 함께 적는다. 경력은 최신 순서대로 적고 학력은 최종학력만 기재하면 된다.

간혹 소유하고 있는 민간자격증을 모두 적는 경우가 있는데 해당 강사지원분야가 아니라면 빼는 것이 나을 수 있다. 너무 많은 자격증은 전문적으로 보이지 않기 때문이다. 학생, 어르신들을 대상으로 하는 경우에는 성범죄이력 조회동의서를 미리 작성해서 보내야 한다. 이 외에도 기관에서 요청하는 개인정보에 해당하는 자료가 있을 수 있으니 통장이나 신분증은 사본을 만들어 언제든 첨부할 수 있도록 한다. 강사 서류에 '성범죄 경력조회 및 아동학대 관련 범죄전력 조회 동의서'도 포함되는데 해당 기관의 관할 경찰서에 제출하는 서류이다. 온라인으로 직접하는 경우엔 기관에서 코드를 준다. 범죄 전력이 없어야만 강의할 수 있다.

다음은 스마트에듀빌더에서 사용하고 있는 기획서 양식이다. 참고로 해서 작성해보록 한다. 제목은 트렌드에 맞춰 흥미로운 제목을 짓는다. 제목도 생성형 AI에게 물어보면 알려주니 참고한다.

강의 제목

프로그램 개요

□ **프로그램 내용**

□ **프로그램 상세 개요**
  ▷ 주제 :
  ▷ 대상 :　00명
  ▷ 내용 :
  ▷ 주제도서 :

	구분	소주제	내용
1회	강의		OT 및 소개
2회	강의 실습		
3회	강의 실습		
4회	강의 실습		
5회	강의 실습		
6회	강의 실습		

9. AI 프로그램 감마 활용 강의안 작성의 실제

강의 커리큘럼도 구성했으니 이제 실제 강의안을 작성한다. 강의 교안을 만들기 위해 책과 영상자료를 찾는 것은 물론이고 강의 PPT 양식을 제공하는 사이트를 통해 만들어보는 것도 좋다.

구글 드라이브에 google프리젠테이션을 이용하면 제공하는 프리
젠테이션 양식을 사용할 수 있을뿐만 아니라 이메일주소로 공유할
대상을 선정해서 함께 작업할 수도 있다.

한글한글아름답게 （https://hangeul.naver.com/document） 사이
트에도 프리젠테이션과 글꼴이 있으니 활용해보면 좋다.

https://www.miricanvas.com/workspace/template/search
디자인 플랫폼 미리캔버스와 캔바에는 다양한 프리젠테이션 양식
이 있다. 왕관 마크가 있는 것은 유료이고 나머지는 무료로 사용
가능하다. 작업 후 다운로드하면 내 pc에 저장된다. 글씨가 이미지

로 인식되니 수정하지 못하는 것이 있어 불편하다고 느낄 수 있으나 장점만을 취한다면 MS사의 프리젠테이션과는 차별화된 양식을 사용할 수 있다.

 강의안을 강의 제목만 넣어도 만들어주는 인공지능 프로그램이 있다. 감마(https://gamma.app/?lng=kr)를 검색하고 회원가입하고 로그인하면 무료로 사용할 수 있다. 회원가입을 해야 내가 만든 PPT가 저장되어 있어 언제든 사용할 수 있다.

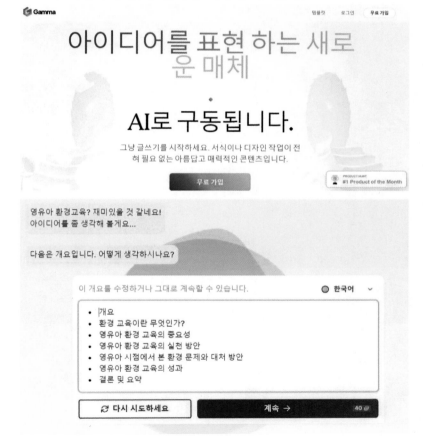

시작할 때 프리젠테이션을 선택한다. 제목을 입력하면 알아서 개요를 만들어주는데 이때 원하지 않는 내용은 삭제하고 추가도 가능하다. 마음에 드는 테마를 고르면 개요에 맞춰 PPT를 생성한다.

⊘ 영유아 환경교육 공유   ×

᠀⁺ 다른 사람 초대   ⊙ 공개적으로 공유   ⬇ 내보내기   </> 포함시키다

gamma의 정적 사본을 다운로드하여 다른 사람과 공유하세요.

PDF(으)로 내보내기   ⬇

PowerPoint(으)로 내보내기   ⬇

PowerPoint에서 글꼴을 올바르게 표시하려면 다음 글꼴이 필요할 수 있습니다.

Adonis   **Source Sans Pro** ↗

팁: **페이지 설정**에서 카드 크기와 배경을 제어할 수 있습니다.

"Gamma로 작성됨"이라는 배지 제거 `PLUS`

강의 PPT가 완료되면 내보내기를 선택하고 PowerPoint로 내보내기를 클릭한다. 내 pc의 다운로드 폴더에 저장되고 불러서 사용하면 된다. 비슷한 포맷으로 되어있어 이미지와 자료를 추가하면 된다.

강의안을 만들 때 주의 사항이 있다. 첫째, 글자 수는 최대한 적게 한다. 글자 수가 많으면 수강생이 글을 읽느라 집중하지 못한다. 둘째, 한 장에 하나의 메시지만을 넣는다. 다른 내용이라면 다음 ppt를 추가한다. 셋째, 글씨체는 단순한 것으로, 여러 가지를 섞어 쓰지 않는 것이 좋다. 자칫 산만해 보인다. 넷째, 색깔도 3가지 이하로만 사용한다. 다섯째, 강의안 마지막엔 강사가 전달하고

자 하는 핵심 메시지를 이미지나 영상으로 넣는다. 강의 시작도 중요하지만 마무리는 더 중요하다. 여섯째, 처음 강사소개를 하는 것처럼 마지막엔 감사의 글과 함께 강사 연락처 잊지 말고 넣는다. 강의 후 강사에게 연락하는 수강생은 거의 없지만 그래도 자신의 강의에 관한 사후 관리로 보여진다.

 강의 커리큘럼에 맞춰 강의안까지 마련했으니 이제 강의를 나서면 된다. 이제 여러분도 디지털미디어리터러시 강사가 될 수 있다.

10. 나는 어떤 디지털 미디어 리터러시 강사가 되고 싶은가?

강의 PPT까지 만들었으니 강사역량으로 갖추어야 할 것은 마련했다. 이 시점에서 그럼 나는 어떤 디지털 미디어 리터러시가 되고 싶은지 물음에 답을 찾아봄으로써 강사의 목표와 목적을 확인한다. 이제 시작하는 강사도 오랜 경험이 있는 강사도 쉽게 답을 찾기 어려울 수 있다. 교육현장에선 어떻게 교육하고 있는지 알아보며 그중에 내가 잘할 수 있고 관심이 가는 부분이 있을 것이다.

[표 3-2] 2019년 학교 미디어 교육 내실화 지원 계획 추진 방향

구분	주요 내용	
비전	자율·존중·연대를 실천하는 민주시민 양성	
목표	모든 아이들의 비판적 이해력, 합리적 의사소통능력, 창의·문화적 감수성을 키우는 보편적 미디어 교육 실현	
추진전략	학교 교육을 통한 미디어 교육 지원	1. 체계적인 미디어 교육을 위한 교수학습자료 개발 2. 미디어 선택과목 개설 및 인정도서 개발 지원 3. 교육과정과 연계한 미디어 교육 환경 개선
	학생의 미디어 교육 기회 확대	1. 민주시민역량을 키우는 미디어 교육 활성화 2. 창의융합적 사고력 키우는 미디어 교육 지원 3. 문화소외계층을 위한 미디어 교육 지원 4. 지역 자원을 활용한 미디어 교육 활성화
	교원의 미디어 교육 역량 강화	1. 현장성을 강화하는 교원 연수 실시 2. 맞춤형 미디어 교원 연수 확대
	학교 미디어 교육을 위한 지원체계 구축	1. 미디어교육센터 설립 2. 교육부-시·도교육청-학부모가 함께 만드는 미디어 교육 3. 유관 기관과의 정책 공조

자료 : 교육부(2019). 『학교 미디어 교육 내실화 지원 계획』.

위 표는 교육부에서 2019년 학교 미디어 교육 내실화 지원계획이
다. 민주시민역량을 미디어 교육으로 할 수도 있고, 사고력을 키우
는 미디어 교육도 가능하다. 문화소외계층에 관심이 있다면 그들을
위한 미디어 교육에 관심을 가져본다.

<표 1> 국어과 선택 중심 교육과정의 과목

공통 과목	선택 과목		
	일반 선택	진로 선택	융합 선택
공통국어1 공통국어2	화법과 언어 독서와 작문 문학	주제 탐구 독서 문학과 영상 직무 의사소통	독서 토론과 글쓰기 매체 의사소통 언어생활 탐구

2022년 교육과정에선 그동안 교육과정에서 없던 매체를 국어과 융
합선택으로 포함시켰다.

(6) 매체

핵심 아이디어		· 매체는 소통을 매개하는 도구, 기술, 환경으로 현대 사회의 소통 방식과 소통 문화에 영향을 미친다. · 매체 이용자는 매체 자료의 주체적인 수용과 생산을 통해 정체성을 형성하고 사회적 의미 구성 과정에 　관여한다. · 매체 이용자는 매체 및 매체 소통의 영향력에 대한 이해와 자신과 타인의 권리를 지키기 위한 적극적인 　노력을 통해 건강한 소통 공동체를 형성한다.		
범주		내용 요소		
		초등학교		중학교
		1~2학년	3~4학년	5~6학년	1~3학년
지식· 이해	매체 소통 맥락		· 상황 맥락	· 상황 맥락 · 사회·문화적 맥락	
	매체 자료 유형	· 일상의 매체 자료	· 인터넷의 학습 자료	· 뉴스 및 각종 정보 매체 자료	· 대중매체와 개인 인터넷 방송 · 광고·홍보물
과정· 기능	접근과 선택	· 매체 자료 접근하기	· 인터넷 자료 탐색·선택하기	· 목적에 맞는 정보 검색하기	
	해석과 평가		· 매체 자료 의미 파악하기	· 매체 자료의 신뢰성 평가하기	· 매체의 특성과 영향력 비교하기 · 매체 자료의 재현 방식 분석하기 · 매체 자료의 공정성 평가하기
	제작과 공유	· 글과 그림으로 표현하기	· 발표 자료 만들기 · 매체 자료 활용·공유하기	· 복합양식 매체 자료 제작·공유하기	· 영상 매체 자료 제작·공유하기
	점검과 조정		· 매체 소통의 목적 점검하기	· 매체 이용 양상 점검하기	· 상호 작용적 매체를 통한 소통 점검하기
가치·태도		· 매체 소통에 대한 흥미와 관심	· 매체 소통 윤리	· 매체 소통에 대한 성찰	· 매체 소통의 권리와 책임

초중고 모두 지식을 통해 이해하고 기능을 익혀 매체 자료를 제작하고 가치와 태도로 매체를 소통하는 윤리, 권리, 책임을 배우게 되어있다. 디지털 미디어 리터러시 지도사가 할 수 있는 것은 얼마든지 있다. 학교 교육 외에 평생교육차원에서도 디지털 미디어 리터러시가 활용되고 있는데 다음 표를 보고 내가 만날 수강생의 수준은 어디에 해당하는지 알아볼 수 있다.

[표 5-1] 미디어 리터러시 수준 진단을 위한 지표 구성(안)

영역구분	1단계	2단계	3단계
소비	원하는 정보 검색	사실 여부 판단	정치적 이해관계 파악
전달	메시지 확인 및 작성	파일 송·수신	SNS 통한 의견 개진
관리	개인정보보안 유지	금융, 구매, 거래	판매 및 사업 운영
생산	정보 생산 및 가공	웹사이트 운영	콘텐츠 제작, 채널 운영

1단계에 해당하는 사람에게 교육할 내용과 3단계의 교육 내용은 달라야 한다.

[표 5-2] 디지털 리터러시 개선 과정을 반영한 경기도형 평생학습

분야	보완 프로그램	주요 내용
기초문해교육	미디어 문해력 강화	·정보 내용의 사실 여부 판별 ·미디어 비판적 이해 ·디지털 정보화 역량 강화
인문교양교육	서사적 역량 강화	·미디어 과몰입 및 과의존 진단 및 개선 ·서사적 역량(narrative competence) 강화 ·읽기, 쓰기, 말하기 프로그램
시민참여교육	시민성 확립	·온라인에서 상호 존중과 배려 ·온라인에 안전하고 동등하게 참여할 권리

수준을 확인하고 위의 표를 참고하여 분야도 살펴본다. 1단계는 기초문해교육으로, 2단계는 시민참여교육으로, 3단계는 인문교양교육과 시민참여교육을 함께 구성해도 좋을 것이다.

"당신이 배를 만들고 싶다면 사람들에게 목재를 가져오게 하고 일을 지시하고 일감을 나눠주는 일을 하지 말라. 대

신 그들에게 저 넓고 끝없는 바다에 대한 동경심을 키워
줘라." 생텍쥐페리의 『야간비행』에 나오는 구절이다. 이런
지도사가 되길 바라며 모든 내용을 마친다.

나에게 디지털 미디어 리터러시란?

미디어 리터러시 강의를 시작한 햇수를 세어보니 몇 년이 훌쩍 지나갔다. 미디어 리터러시에 처음 관심을 두게 되었던 그즈음의 일들이 주마등처럼 머릿속을 지나간다.

내가 미디어 리터러시에 관심을 두게 된 큰 이유는 스마트폰이었다. 나와 수업하는 아이들이 스마트폰에 얽매여 일상생활에 영향을 받는 모습과 이런 모습에 힘들어하는 가족들을 지켜보면서, 막연히 아이들이 스마트폰을 사용하지 못하도록 설득하는 것으로는, 별 도움이 되지 않는다는 사실을 알았기 때문이다. 그래서 구체적인 도움을 주고 싶은 마음에 여러 프로그램을 찾아보던 중 정승훈 대표가 이야기하는 '디지털 미디어'에 관한 내용은 우리 아이들에게 너무 필요한 프로그램이라고는 생각에 즐거운 마음으로 함께 강의 커리큘럼 만드는 일을 시작했다.

오랫동안 아이들의 교육에 관해서 이야기를 나눴던 사이라, 아이들에게 꼭 필요한 일을 한다는 즐거움으로 시작했지만 내가 미디어 교육을 할 수 있을까 하는 생각도 들었다. 지금도 그렇지만 당시 나는 미디어 환경에 익숙한 사람이 아니어서 유튜브, 페이스북, 블로그, 트위터, 인스타그램 등 SNS를 전혀 하지 않아서이다. 하지만 뼈대만 있던 기획안에 살을 붙여가면서 전체 강의안을 만들면서 그 생각은 조금씩 사라졌다. 정승훈 대표와 내가 커리큘럼을 만들면서 자료로 본 수많은 책의 내용을 보고 우리가 꼭 전달하고 싶은 내용이 있었기 때문이었다. 그렇게 1년의 세월 동안 미디어 리터러시라는 주제로 회의하고, 책을 읽고, 논문과 자료를 읽느라 아이들 가르치는 시간과 커리큘럼 만드는 일을 동시에 하면서 내 학생들에게 도움을 주고 싶어서 시작했던 일이지만 많은 사람에게 알려야 한다는 생각이 점점 커졌다.

20여 년 동안 아이들과 이해력 바탕 수업했는데 그렇게 미디어 교육으로 영역을 옮기게 되었다. 영역을 이동하는 과정에 코로나19 상황이 있었고, 미디어로 옮기고 난 후 Chat GPT가 등장했다. 코로나19 상황에서는 아이들이 개학했는데 학교에 가지 못하고 온라인 경험이 없는데 온라인으로 수업해야 하는 상황은 사교육을 하는 사람이나 공교육을 하는 사람이나 흡사 공황으로 다가왔다. 그래서 부랴부랴 온라인 수업을 할 수 있는 줌과 패들렛 프로그램 수박 겉핥기식으로 배워서 아이들 학교 수업을 공부방에서 도와주었다. 이런 환경이다 보니 아이들에게 미디어 교육이 정말 필요하다는 생각이 절실하게 들었다.

그리고 등장한 Chat GPT는 미디어 리터러시 교육에서 디지털 미디어 리터러시 교육으로 영역을 넓히는 계기가 되었다. 디지털 환경의 변화는 미디어 리터러시 강의 시작이 부담되었던 기억을 까맣게 잊고 디지털 환경의 변화를 강의하게 했다. 그렇게 할 수 있었던 이유는 바탕에 '리터러시'가 있기 때문이다. 문자를 쓰고 읽고 활용할 수 있는 능력인 리터러시는 모든 리터러시의 기본 개념이 된다.

2021년에 출판했던 『이것만 알면 당신도 미디어 리터러시 지도사』는 그 내용을 충분히 담고 있었다. 이번 개정판에는 현재를 살아가는 우리가 꼭 알아야 하는 디지털 시민, AI 리터러시 등의 내용이 실려있다.

미디어 리터러시가 나에게 준 변화는 세상을 보는 영역을 확장해 줬다는 것이다. 그래서 직업이 바뀌고, 내가 관심 있는 분야도 바뀌고, 내가 접하는 정보도 바뀌었다. 디지털 미디어 리터러시는 '인공지능'이라는 화두로 인간을 다시 생각하게 해주는 계기가 되었다. 가장 새로운 도구가 가장 근본적인 영역을 돌아보게 해 주었다.

출판을 기획하면서 정승훈 대표와 송은주 강사와 디지털 미디어 리터러시에 관한 이야기들을 하던 많은 순간이 떠오른다. 우리가 책에 담은 진심들이 독자에게도 잘 전달되기를 바라면서 글을 마친다.

2024년 지미영